로마네스크 성당,
치유의 순례

　　　　여러분 앞에 있는 이 진실하고 감동적인 책은 로마네스크 건축의 아름다움을 보여주는 일종의 순례 여행이다. 2007년에 김난영 박사는 남편을 잃고 그의 부재와 화해하기 위해 프랑스로 여행을 떠났다. 그녀는 한국에서 태어나고 교육받았기 때문에 서양의 기독교 중세와는 개인적으로나 문화적으로 직접적인 관련이 없었다. 따라서 유럽의 중세 유적지를 돌아보는 것이 건축 관람과 감상 방식을 완전히 바꿔놓을 것임을 그녀는 상상도 하지 못했다. 놀랍게도 처음 만난 오베르뉴 지방 산악지대의 로마네스크 성당과 수도원은 고독, 명상 그리고 영적 회복의 시간을 위한 조용한 공간을 제공해주었을 뿐만 아니라, 미술사를 잘 알고 있었어도 이전에는 깨닫지 못한 로마네스크 구조와 공간의 독특한 미적 면모를 드러내주었다. 그 이후 여러 해 동안 로마네스크의 공간과 그 힘에 이끌려 그녀는 여름마다 유럽으로 돌아갔다. 내가 난영 씨를 만난 것은 그녀가 첫 유럽 여행에서 돌아왔던 때다. 그녀가 재직하고 있던 동부 캐롤라이나 대학교의 미술대학에서 막 건축사를 가르치기 시작하던 참이었다. 건축에 대한 공동의 관심사를 기반으로 우리는 곧 좋은 동료이자 친구가 되었다.

　　　　중세 건축사를 전공한 사람으로서 나는 그녀가 찍은 로마네스크 건축 사진들에 깊은 감동을 받았다. 그녀가 찾아갔던 프랑스, 이탈리아, 에스파냐의 로마네스크 성당은 아주 유명한 것에서 알려지지 않은 것까지, 규모가 큰 것에서 작은 것까지, 도심에 있는 것에서 멀리 외진 곳에 있는 것까지, 그 범위가 매우 다양하고 넓었다. 참으로 오래전에 지어졌지만 오늘날에도 살아 있는 이 감동적인 로마네스크 공간의 가장 영감적인 부분들을 그녀는 매우 잘 포착해냈다. 그녀의 예술가적 감수성과 건축과 예술에 대한 깊은 이해가 이 우수한 사진들을 촬영하는 데 크게 작용했을 것임은 의심할 나위가 없다. 처음에는 개인적인 순례에서 시작했지만 로마네스크의 본질을 추구하려는 열정으로 그녀는 이 사진 작업을 학문적 연구와 연결시켜갔다. 그 몇 년 동안의 노력이 이처럼 훌륭한 책으로 결실을 맺게 된 것이다.

난영 씨는 애초에 영어로 원고를 썼는데, 나는 그 원고를 매우 흥미롭게 읽었다. 이 책은 여러 면에서 독특하다고 할 수 있다. 우선 전통적인 미술사 서적과 달리 독자들이 그녀의 설명과 사진을 따라 쉽게 건축공간으로 들어갈 수 있게 구성되어 있다. 마치 친절한 전문 가이드가 독자 옆에서 같이 걸어가고 있는 것처럼 말이다. 또 그녀의 사진들은 일반적인 것은 물론, 예상치 못한 것, 눈에 띄지 않거나 잊혀진 건축요소나 세부장식을 찾아내어 우리에게 보여준다. 그녀는 이 형식들을 역사적·사회적·지리적·건축공학적·상징적·심리적·미적 차원의 다양항 각도로 접근하여 여느 미술사 담론과는 다르게 로마네스크가 참신하게 해석되는 계기를 마련해준다. 특히 한국에서 미학을 공부한 배경에다 미국에서 오랫동안 디자인을 가르친 경험이 있는 그녀의 형식 분석은 개인적이고 친밀한 동시에 객관적이고 전문적이다.

김난영 박사의 로마네스크에 대한 해석은 독특하지만 이데올로기에서 자유롭고 친밀한 경험에서 시작되었지만 세심한 연구에 근거를 두고 있어서 문화와 시간과 공간을 초월한 로마네스크 건축의 본질과 가치를 잘 보여준다. 그녀가 연구와 영감을 우리와 나누는 것을 감사하게 생각한다.

엘레나 보그다노비치, 아이오와 주립대학교 건축사 박사, 건축가

This genuine heartfelt book in front of you presents a pilgrimage of a kind, which reveals beauties of Romanesque architecture. In 2007, after the death of her husband, Dr. Nanyoung Kim made a trip to France, searching for personal reconciliation regarding his absence. Born and educated in Korea, she did not have a personal or cultural relationship directly associated with medieval Christian Europe. Therefore she could not have imagined that visits to medieval sites would transform the ways she looks at and experiences architecture. To her surprise, the first encounter with Romanesque churches and monasteries in the mountainous region of Auvergne not only offered much needed space and warmth for moments of solitude, contemplation, and spiritual healing, but also showed the beauty of their structures and spaces that she had not known to exist even with her good knowledge of art history. In the years to follow, she returned to Europe every summer with growing curiosity about Romanesque space and its powerful impact. It was after her first visit to Europe that I met Nanyoung. I had just started teaching architectural history at the School of Art and Design, at the East Carolina University in North Carolina. Based on our mutual love for architecture, the two of us became good colleagues and friends.

As a specialist in medieval architecture myself, I was deeply moved by Nanyoung's extraordinary photographs of Romanesque architecture. In her extended visits to various Romanesque sites in France, Italy, and Spain Nanyoung combined those that were more well known with those that were rarely visited, big and small, those located in major urban centers and those in remote areas. She photographed thousands of immensely inspiring segments of Romanesque spaces, constructed many centuries ago, but still alive and able to move us today. It is without saying that her discerning eye and deep understanding of architecture and arts contributed to the superior quality of these photos. Nanyoung transformed this personal pilgrimage into a scholarly work by her quest for the essence of the Romanesque. The fruit of this endeavor of several years resulted in this marvelous book.

With great interest I read Nanyoung's book originally written in English. The book is unique for several reasons. First of all, the format of the book, unlike the traditional art history book, allows the reader to enter into the imaginary architectural space by her explanations and her photos. It is like having a kind and professional guide walking along with you. Secondly, her photos reveal unexpected and often unnoticed and forgotten architectural segments and decorative details in addition to more general ones. She analyzes them in various perspectives: historical, social, geological, architectural, symbolic, psychological, and aesthetic. This evokes a renewed and innovative approach different from the usual one found in any art history discourse. Last, but not least, her formal analyses of forms and spaces are intimate and personal but objective and authoritative at the same time, owing to her background in aesthetics in Korea and teaching design classes for a long time in the US.

Nanyoung's interpretation of Romanesque is unique but free from ideology, based on direct experience but solidly grounded with research. In this way, she shows the essence and the values of Romanesque architecture that transcend cultural, temporal, and spatial boundaries. We are grateful to her for sharing her work and her inspiration with us.

Jelena Bogdanović, Ph.D., Architect and architectural historian, Iowa State University

차
례

일러두기

1. 성당 명칭은 성당이 소재한 국가의 표기를 따랐다. 예를 들어, 카탈루냐 지방에 소재한 성당은 에스파냐어, 피레네 산맥 지역에서 프랑스 쪽에 소재한 지역의 성당은 프랑스어 표기를 따랐다.

2. 성인명은 『미디어 종사자를 위한 천주교 용어 · 자료집』(주교회의 매스컴위원회 편찬, 한국천주교주교회의 간, 2011)의 원칙을 따랐다.

3. 건축 용어는 영어 표기를 병기했다.

들어가며

산사의 아름다움을
간직한 로마네스크 성당

'로마네스크Romanesque'는 로마 시대의 건축요소와 기술을 많이 활용한 중세의 건축양식이다. 아치, 원주, 주랑, 원주 조각 같은 것이 로마의 건축요소라면, 돌과 벽돌과 콘크리트를 사용해 벽을 구축하는 방식은 로마 건축기술의 유산이다.

　　하나의 양식을 가리키는 명칭이 예술의 특정 경향에 대한 지칭으로 정착되는 데는 시간뿐 아니라, 많은 학자들의 연구와 논쟁도 필요한 경우가 많다. 로마네스크가 그 대표적인 예다. 우선 '중세'Middle Ages란 용어 자체는 15세기의 르네상스 학자들과 예술가들이 그들이 재발견한 고대 그리스 · 로마 문명과 당대의 '중간에 끼어 있는' 거의 1천 년간의 역사를 경멸적으로 지칭하기 위해 처음 사용했다. 그리고 르네상스 이전의 예술양식을 한꺼번에 뭉뚱그려 '비이성적'이고 '야만적'이라는 의미로 게르만족의 한 부족인 고트족의 이름을 따서 '고딕Gothic'이라고 불렀다. 그러나 17세기 말에는 고딕 중에도 서로 다른 양식이 있다는 것이 인정되어 그중 앞선 양식을 '구고딕', 나중 것을 '신고딕'이라고 구분했다.

　　이 구고딕을 '로마네스크'라고 명명한 사람은 19세기 초 영국의 성직자이자 수필가인 윌리엄 건William Gunn, 1750~1841이라고 한다. 로마 시대의 진정한 라틴어와는 달리 퇴화되었다는 의미에서 중세의 라틴어를 '로마네스크'라고 불렀던 그 시대의 관습에서 따온 것이었다. 후의 학자들은 로마네스크 양식도 4~10세기까지의 초기와 11~12세기의 후기로 나눌 수 있음에 동의하였고, 19세기 말에서야 후기 로마네스크가 특유의 형식을 가진 것이 인정되어 '로마네스크'라는 명칭을 얻게 되었다. 그리고 그 이전의 양식은 '초기 기독교 양식'으로 부르게 된다.

　　이렇듯 처음 '로마네스크'라는 명칭은 초기에는 '후기 고대'Late Antiquity나 '퇴화

된 고대'라는 부정적 의미로 4~12세기 900년간의 양식을 지칭했지만, 19세기 말 학자들의 노력으로 그런 부정적인 의미에서 탈피해 1000~1150년에 번성한 건축양식을 의미하게 된 것이다.

그러면 이러한 시대 구분에는 어떤 역사적 배경이 있을까? 4~11세기에 무슨 일이 있었던 것일까?

11세기, 순수의 시대

4세기에 유럽과 중동을 광범위하게 지배하고 있던 로마제국은 세력이 약해지는 과정에서 결국 동서로 나뉘었다. 동로마제국은 콘스탄티노플(지금 터키의 이스탄불)을 수도로 해서 계속 번창했지만, 서로마제국은 북쪽에서 대거 침입해온 게르만족에 의해 결국 5세기 중엽인 476년에 멸망한다. 이로 인해 서로마제국의 지배하에 있던 유럽은 그야말로 암흑시대에 돌입하게 된다. 이 힘의 공백기에 유럽의 질서를 유지한 것이 바로 기독교다. 오랜 수난 끝에 313년에 공인이 된 후 로마제국의 국교가 되었던 기독교는 이 시기에 미약하나마 유럽의 문화를 보존하는 역할을 하게 된다.

이 암흑기에 일반 평민들의 집은 나무, 진흙, 잡초 자갈 등 값싸고 실용적지만 내구성 없는 재료로 지어졌기 때문에 오래가지 않았다. 귀족들의 저택은 돌처럼 내구성 있는 재료로 지어졌겠지만, 중세 초기의 것은 당시 귀족 계급의 붕괴와 외적의 침입으로 파괴되어 남아 있지 않았다. 이런 상황에서 정신적, 사회적 지주가 된 교회에 부가 모여들고 당대의 건축학적 지식이 집약되면서, 성당은 중세의 가장 중요한 건축물이 된다. 기독교가 공인된 4세기는 서양 건축양식의 중요한 전환점이 된 이유다.

4세기 다음으로 중요한 시기가 바로 로마네스크의 시대, 11세기이다. 11세기는 건축뿐만 아니라 여러 면에서 서유럽이 또 한 번의 대대적인 파괴를 겪고 다시 일어난 시점이기 때문이다.

수백 년 동안 유럽을 혼란에 빠뜨렸던 게르만족들이 유럽 각지에 정착하여 왕국을 이루고 서서히 문화를 일으켜가던 8~10세기에 유럽은 다시 남쪽, 서쪽, 동쪽으로부터 이민족의 침략을 받아 피폐해지고 말았다. 그러나 이전의 게르만족 침략 때보다는 그 피해가 크지 않아 약탈자들이 유럽 각지에 정착하기 시작할 무렵부터 유럽은 비교적 빨리 회복해나갔다. 로마네스크 양식은 이렇게 유럽이 모든 면에서 부흥하기 시작할 무렵 지어진 성당들에 나타난 건축양식이다.

이 시기에 유독 아름다운 성당이 많이 세워진 것은 세계의 종말이라고 믿었던 1000년이 무사히 지나간 것에 대한 감사와 기쁨의 표현이라고 말하는 학자들도 있다. 11세기의 한 수사는 유럽 전체가 "성당의 흰 망토를 입은 것 같다"고 쓰기도 했다. 로마네스크 양식이 이렇게 전 유럽적 현상이 된 것은 기독교가 유럽을 통일하는 정신적인 힘이 된 데다, 오랜 혼란기 동안 사회적, 행정적 체제의 역할을 했기 때문이라고 할 수 있다. 교회의 교구가 로마의 행정지역 구분에 따라 형성된 사실은 이를 잘 나타내준다.

그러나 교회가 정치적 힘을 얻는 데 결정적 역할을 한 것은 정신적 지주인 교황과

정치적 지주인 왕이 신의 이름으로 제휴를 맺은 사건이었다. 왕에게는 교황에게 없던 무력이 있었고, 교황에게는 왕에게 없던 신성한 권위가 있었기 때문에 가능했던 일이다. 800년은 이 점에서 중요한 시기였다. 정착한 게르만족 중 가장 큰 세력으로 등장한 것은 프랑크족이었고, 프랑크족의 카롤링거 왕조는 샤를마뉴Charlemagne 742경~814 때 지금의 프랑스와 독일을 아우르는 넓은 지역을 장악했다. 교황은 샤를마뉴에게 이탈리아 북쪽에 정착한 롬바르드족을 기독교도로 개종시켜줄 것을 요청했고, 이미 기독교를 받아들였던 샤를마뉴는 그 요청에 따라 롬바르드족을 제압했다. 이에 교황이 샤를마뉴를 서로마제국, 즉 신성로마제국 황제 '카롤루스 대제'로 임명한 것이 800년의 일이다.

그 이후 교회는 왕권의 힘을 얻어 사회체제로서 더욱 확고해졌고 지리적 영향력도 대폭 확장되었다. 그리하여 로마네스크 시대에 이르러서는 강력한 두 수도원 운동이 잇달아 일어났고, 성지 순례의 열정이 정점에 달했다. 또한 교황의 권력이 더 강력해져 1095년에는 1차 십자군전쟁을 일으킬 수 있었다. 어쩌면 이 시기가 사회체제로서의 기독교가 역사를 통해 그래도 가장 순수했던 때가 아니었을까 하는 생각을 나는 금할 수 없다.

마음의 고통을 치유해준 로마네스크 성당의 아름다움

나의 로마네스크 순례는 순전히 개인적인 이유에서 시작되었다. 결혼하고 10년을 함께한 남편을 2007년 암으로 잃고 그해 여름 나는 프랑스로 여행을 떠났다. 남부의 작은 도시 발랑스에서 차를 빌려 타고 프랑스 중남부 산악지대인 오베르뉴 지방의 꼬불꼬불한 이차선 도로를 몇 시간씩 달려 르퓌앙벌레, 생넥테르, 오르시발, 이수아르 등에 있는 순례성당들을 돌아봤다. 천 년 전부터 시작된 성지순례는 아직도 계속되고 있다. 교통수단이나 도로가 말할 수 없이 불편하고 원시적이던 그 시대에 엄청난 노고와 위험을 감수하면서 이리도 외떨어진 성당을 찾아왔던 사람들의 마음은 어떤 것이었을까? 어떤 고통과 슬픔 혹은 어떤 절실한 염원을 품고 있었을까? 얼마나 많은 사연들이 이 공간에 쌓였을까? 이런 생각을 하면서 마음을 비우고 내 슬픔을 거대한 역사의 흐름 속으로 떠나보내고 싶었는지도 모르겠다.

그러나 나에게 예기치 않은 경험으로 다가왔던 것은, 이 성당들이 참으로 아름다웠다는 사실이다. 아름다움이 마음의 고통을 치유해준다고 누군가 말하지 않았던가. 내게 가장 위로가 된 것은 종교적 신앙도 역사적 통찰도 아닌, 아름다움과의 직접적인 만남이었다. 그 대면은 위안을 초월해 무슨 마술처럼 내 마음을 설렘과 기쁨으로 가득 채웠다.

도대체 이 아름다움은 어디에서 오는 것일까? 이 조용한 아름다움. 고요한 마음으로 찬찬히 둘러보지 않으면 잘 보이지 않는 아름다움. 서양 미술사를 공부했고 대학에서 가르치기도 했건만 왜 나는 이 아름다움을 몰랐을까?

이 순례성당들은 소위 로마네스크 양식으로 지어졌다. 대학에서 미술사 강의를 들은 사람들에게 로마네스크 건축은 두꺼운 벽, 작은 창문, 어두운 실내 그리고 무섭고 기괴한 팀파눔 조각으로 기억될 것이다. 이에 비해 고딕 건축은 하늘을 찌를 듯한 높이와 밝고 넓은 실내로 서양 기독교의 정수를 상징한다고 흔히 간주되는 것이다. 이런 고정관념이 아주 틀린 것은 아니지만, 두 건축양식에 대한 나의 직접적인 경험은 그것이 얼마나 피상적인 관념인가를 깨닫게 해주었다.

일리노이 대학교 박사 과정에 있을 때 파리에서 한 달간 공부한 적이 있었다. 그때 나는 파리 노트르담 대성당Cathédrale Notre-Dame de Paris뿐 아니라 기차를 타고 여러 도시를 다니며 많은 고딕 성당을 방문했다. 여느 사람들처럼 어쩌면 그 옛날에 저리도 높은 건물을 지을 수 있었을까 하는 감탄은 절로 나왔다. 하지만 결코 아름답게 느껴지지는 않았다. 그러기에는 너무나 크고 화려하고 복잡했다. 그런데 그 성당들보다 1~2백 년 전에 지어졌고 그에 비하면 참으로 소박하다고밖에 할 수 없는 이 로마네스크 성당들 앞에서 나는 어쩔 줄 몰라하는 것이었다.

반드시 다시 오리라 다짐하면서 시작된 것이 나의 로마네스크 성당 순례이다. 뜻이 있으면 길이 있다고, 노력과 하늘이 준 듯한 축복이 합해져 그해 이후로 나는 여름과 겨울 방학마다 유럽으로 돌아가 수많은 로마네스크 성당을 찾아가볼 수 있었다. 이듬해에는 여름 수학여행으로 재직 중인 학교 학생들을 데리고 파리에 갔는데, 학생들을 미국으로 돌려보낸 다음 나는 리옹으로 가서 차를 빌려 타고 부르고뉴 지방의 로마네스크 성당들을 돌아보았다.

부르고뉴는 프랑스에서 두 차례의 대규모 수도원 개혁운동이 일어난 곳으로서 성당들이 모두 규모가 크고 하나하나 독특하고 아름다웠다. 벽돌처럼 깎은 붉은색의 작은 돌로 지은 투르뉘 생필리베르 수도원Abbaye Saint-Philibert de Tournus 성당, 우아하고 웅장한 베즐레 생트마리마들렌 대성당Basilique Sainte-Marie-Madeleine de Vézelay, 원주 조각이 특별히 뛰어나 예외적으로 조각가의 이름이 알려져 있는 오툉 생라자르 대성당Cathédrale Saint-Lazare d'Autun, 크고도 유명했으나 이제는 폐허가 되어 종탑 하나밖에 남아 있지 않은 클뤼니 수도원Abbaye de Cluny 성당….

그다음 해부터는 유럽의 여러 언어에 능숙한 친구와 함께 이탈리아, 에스파냐, 프랑스의 나머지 지방을 돌았다. 에스파냐 이베리아 반도 북서쪽 끝, 유럽 순례의 종점인 산티아고데콤포스텔라 대성당Catedral de Santiago de Compostela, 북쪽 해변에 가까운 아스투리아스 지방의 작고 오래되었지만 비례감이 뛰어난 성당들 그리고 이탈리아에서 동쪽 아드리아해를 내려다보며 항구를 지키고 있던 트라니 대성당Cattedrale di Trani과 몰페타 산코라도 대성당Duomo di San Corrado Molfetta이 제일 기억에 남는다.

프랑스에서는 참으로 매력적이던 노르망디 지방의 캉 수녀원Abbaye aux Dames(Caen) 성당과 11세기 천장 벽화가 남아 있던 프랑스 서부의 생사뱅 수도원Abbaye de Saint-Savin-sur-Gartempe 성당, 아! 그리고 밀밭 한가운데 서 있던, 아담한 리셰르 생드니 성당Église Saint-Denis de Lichères을 어떻게 잊을 수 있을까!

하나도 같은 것이 없는 로마네스크 성당들

개인적인 이유에서 우연히 시작한 로마네스크 성당 순례는 해를 거듭하며 더 진지한 연구와 창작 작업으로 변해갔다. 여행을 떠나기 전이면 방문할 성당들에 대해 책을 읽으며 공부했고, 돌아와서는 내가 찍은 사진을 보면서 건축공간과 형식을 분석했다. 많은 사진이 사진전에 입선해 전시되기도 했다.

그러면서 새삼 다시 한번 발견한 것은 로마네스크 성당의 미적인 면을 제대로 언급하고 있는 미술사 책이 거의 없다는 사실이었다. 20세기 초반에 집필된 책이 조금 있었는데, 그조차 일반적이고 포괄적인 설명일 뿐이었다. 특히 현대미술이 지배한 20세기 중반에는 로마네스크 양식의 아름다움을 언급한 미술사 서적은 전혀 찾을 수가 없었다. 학문도 유행을 탄다고는 하지만 이건 너무하지 않은가? 아름다움을 이야기하면 객관성을 잃는다고 학자들은 생각하는 것일까? 나는 점차 이것이 누군가 메워야 할 커다란 문화의 공백이라고 생각하게 되었다.

로마네스크 양식과 그 가치에 대한 감상이 부족한 이유를 크게 두 가지로 나누어 생각해볼 수 있다. 우선 로마네스크 성당 대부분이 수도원에 부속된 것이어서 도시와 멀리 떨어진 산속 아니면 깊은 계곡에 위치하고 있기 때문에 사람들에게 잘 알려져 있지 않다는 사실이다. 로마네스크 성당을 찾아가려면 반드시 차를 빌려야 하고 외진 도로까지 상세하게 나와 있는 지도가 필요하다. 지금은 네비게이션이 있어서 도움이 되지만 그래도 미쉐린 같은 지도 제작사에서 나온 지역별 지도가 필요하다. 오지에서는 무선통신 속도가 좋질 못해서 운전 속도에 맞춰 확대, 축소가 원활히 수행되지 않을 때가 많다. 그런 경우 네비게이션에만 의지하면 아차 하는 순간 길을 놓치기 쉽다. 기차나 버스 같은 대중교통 사정도 여의치 않기 때문에 외국인은 물론이거니와 유럽 사람들도 쉽게 찾아가지 못한다. 이러한 사정은 미술사학자들에게도 마찬가지여서 로마네스크 건축사를 전공하지 않는 한 직접적인 경험이 턱없이 부족한 편이다. 따라서 로마네스크 건축에 대한 지식은 대부분 책을 통해서 전달되고 유통되어 점점 실제의 경험과는 차이가 생기게 되는 것이다.

두 번째 이유는 더 심각하다. 로마네스크 양식이 고딕 양식의 그늘에 가려 제대로 인정받지 못했고 지금도 그러하다는 사실이다. 고딕 성당은 거의 도시에 있어서 언제나 찾아갈 수 있을 뿐만 아니라 크기나 높이가 어마어마하기 때문에 쉽게 감동을 준다. 게다가 르네상스 시대에 그렇게도 평가절하되었던 고딕 양식은 낭만주의와 19세기의 고딕 복고주의를 통해 오명을 완전히 벗었다.

이런 사정으로 미술사학자들을 비롯한 많은 사람들이 고딕 양식을 기준으로 로마네스크 양식을 평가하는 오류를 쉽게 저지르고 있다. 예를 들어 로마네스크 건물은 고딕 것에 비해 벽이 두껍고 창문의 크기가 작기 때문에 어둡고 무거운 느낌을 준다. 그러나 이런 면에만 관심을 기울인다면 시대 상황을 무시하는 부당한 해석으로 흐르게 된다. 이것은 마치 조토Giotto di Bondone 1266경~1337에게 미켈란젤로Michelangelo Buonarroti 1475~1564처럼 사실적으로 그림을 그리지 않았다고 비난하는 것과 같다.

고딕 양식은 로마네스크 건축이 백 년 넘게 발달시킨 기술과 지식을 바탕으로 싹텄지만, 로마네스크 양식에는 그런 토대가 없었다. 카롤링거 왕조의 성당과 궁전, 이탈리아 북동쪽 아드리아 해안에 위치한 라벤나의 비잔틴 양식의 성당들, 유럽 전역에 흩어져 있는 로마 건물의 폐허밖에 참조할 것이 없었다.

로마네스크 건축가들이 원했던 바는 이전 시대에 겪었던 화재와 같은 참변을 피하도록 성당 전체를 돌로 구축해 영구적인 예배 장소를 만드는 것이었다. 이러한 바람에서 천장도 돌로 지었기 때문에 그 무게를 받치기 위해 벽이 두꺼워야 했음은 당연하다. 또한 성당은 하느님의 집이므로 아름다워야 했다. 빛이나 높이로 천국을 향한 염원을 상징하고자 한 고딕 건축가들의 의도는 로마네스크 건축의 세계에는 존재하지 않았다. 역사적 배경을 고려할 때

로마네스크 건축가들이 이 목적을 얼마나 빠르고 거의 완벽하게 그리고 대대적으로 이루어냈는지 알면 감탄을 금할 수 없다. 그래서 어느 성당이 어느 성당의 어떤 부분에 영향을 주었는가 하는 식의 전형적인 미술사적 설명은 로마네스크 양식의 경우 관련 기록이 거의 없으므로 잘할 수도 없겠지만 내 생각엔 큰 의미도 없다.

물론 어느 양식이나 시간이 갈수록 형식적으로 복잡해지므로 초기, 중기, 후기로 나눠볼 수 있는데, 로마네스크 양식도 예외는 아니다. 우선 800~1000년의 시기를 로마네스크 양식의 초기로 볼 수 있는데, 이 시기 지어진 카롤링거 왕조의 성당들과 궁전들, 카롤링거 왕조 다음으로 신성로마제국 황제의 제위를 물려받은 독일 지역 오토 왕조의 성당들, 북이탈리아의 영향을 받은 프랑스 남부와 중부의 성당들, 서고트족의 양식을 보이는 에스파냐 아스투리아스 지방의 작은 성당들이 그 이후에 지어진 것보다 훨씬 간결한 구성을 보이기 때문이다. 이에 반해 1150~1300년의 시기는 말기로 볼 수 있는데, 이 시기에 지어진 성당들은 대개 복잡한 장식을 보인다. 그러나 놀라울 정도로 많은 로마네스크 성당들이 세워진 시기는 중기라고 볼 수 있는 1000~1150년의 성숙기였다. 이 책에 소개된 성당들도 거의가 이 시기의 것들이다.

로마네스크 양식의 매력은 이 수많은 성당들이 공통된 특징을 보이면서도 하나하나가 모두 다르다는 데에 있다. 7~8년에 걸쳐 방문한 로마네스크 성당이 100곳도 넘지만 같은 모습을 한 예를 본 적이 없다. 이러한 다양성은 나에게 아무리 많은 성당을 가보았어도 그 다음 가볼 성당을 가슴 설레며 기다리게 하는 거의 중독과도 같은 효과를 발휘했다.

로마네스크 시대에는 운송수단이 발달되지 않아 가까운 곳에서 구할 수 있는 돌을 사용했기 때문에 재료에 지방색이 많이 반영되었다. 그러나 로마네스크 양식의 독특함은 지역적 고립만으로는 설명할 수 없을 것이다. 건축공학적으로나 형식적으로 로마네스크 건축공들은 고대 로마의 예를 따랐고, 그들이 새로 창조한 것은 거의 없다고 해도 과언이 아니다. 그러나 그들이 로마의 예를 어떻게 효과적이고도 다양하게 응용하고 조합했는가에 있어서는 매우 창조적이었다고 나는 생각한다. 교통이 불편했던 시기였지만 중세 건축가들은 어디에 어떤 성당이 어떻게 지어졌는지 알고 있었고, 얼마나 훌륭하고 독특한 성당을 짓는가를 놓고 경쟁했음이 분명하다. 성당은 하느님의 집이기도 하지만 성당이 속한 공동체의 자부심이기도 했기 때문이다.

　　　로마네스크 성당의 지리적 범위는 스칸디나비아 반도에서부터 이탈리아의 시칠리아 섬까지로 대단히 넓다. 이 책에 나오는 성당들은 모두 라틴 유럽, 즉 그 언어의 기원을 라틴어에 둔 이탈리아, 프랑스, 에스파냐에 위치해 있다. 특히 프랑스의 성당이 많이 등장하는데, 그만큼 수가 많고 다양하며 창의적이기 때문이다. 한 로마네스크 미술사가는 프랑스의 로마네스크 건축을 "세계의 경이 중 하나"라고 말했을 정도다.

　　　독일과 영국에도 로마네스크 성당이 많이 있지만, 이 책에서 제시하고자 하는 로마네스크의 미적인 매력은 꽤나 부족하다고 여겨진다. 독일과 영국 성당의 가장 두드러지는 특징은 엄청나게 크고 높아 압도감을 준다는 것이다. 독일의 경우는 10세기에 신성로마제국의 제위를 이어받은 후 제국에 걸맞게 거대한 규모로 성당을 지으려고 애썼을 뿐 아니라 교황과의 밀접한 관계로 인해 초기 기독교 건축 전통을 의식할 수밖에 없었기 때문에 창의성을 발휘하지 못했다. 영국에서는 노르만족의 정복 이후 노르만족 왕과 귀족이 새 영토에 자신들의 지위를 공고히 하는 데 성당을 적극 활용했기에 성당의 규모가 커질 수밖에 없었다.

파괴 그리고 복구

역사적으로 가톨릭교회는 많은 시련을 겪었다. 1517년 루터Martin Luther 1483~1546 로부터 시작되어 칼뱅Jean Calvin 1509~64이나 츠빙글리Huldrych Zwingli 1484~1531 같은 사람들에 의해 더 극단으로 치닫게 된 종교개혁이 그중 가장 큰 시련이었다. 그 결과 17세기 초반인 1618~48년에 일어난 종교전쟁인 삼십년전쟁으로 북유럽과 독일 지역에서 수많은 성당과 수도원이 파괴되었고, 영국과 프랑스 지역도 가톨릭교도와 개신교도 간의 극단적 반목으로 인해 피로 물들었다. 개신교도들은 성자 숭배나 영성체의 신비 같은 가톨릭의 교리뿐 아니라 화려하고 아름다운 제례에서 오는 미적 경험이 종교적 경험으로 이어진다는 가톨릭의 기본 태도를 믿지 않는다. 그리하여 성당이 파괴되지 않은 곳에서는 성상이 파괴되었고, 성당의 벽은 석회로 칠해졌다.

프랑스는 삼십년전쟁 이후에도 가톨릭 국가로 남아 있었지만, 18세기 말에 일어난 프랑스혁명은 가톨릭교회에 되돌릴 수 없는 해를 입혔다. 혁명정부는 성당을 구제도의 상징물로 간주하여 수많은 수도원을 폐쇄하고 재산을 몰수했으며 성당 건물을 체계적으로 파괴하고 수도원 부지를 일반인들에게 나누어 매각했다. 특히 유럽에서 로마네스크 성당으로서는 제일 컸던 클뤼니 수도원 성당, 그만한 규모는 아니지만 여전히 크고 중요했던 투르 생마르탱 성당Basilique Saint-Martin de Tours, 쥐미에주 수도원Abbaye de Jumièges 성당도 그렇게 파괴되었다. 그 이후 많은 수도원과 성당은 폐허가 되어 채석장 노릇을 했을 뿐이다.

1830년대에 이르러서야 특히 프랑스 정부가 유적 보호에 나서서 중세 성당들이 복구되기 시작했다. 중세 건물 복구자로 널리 알려진 위젠 비올레르뒥Eugène Viollet-le-Duc 1814~79과 폴 아바디Paul Abadie 1812~84가 많은 고딕 성당들을 복구했는데, 이때 투르뉘 생필리베르 수도원 성당이나 베즐레 생트마리마들렌 대성당처럼 큰 로마네스크 성당들도 복구되었다(비올레르뒥은 파리 노트르담 대성당 복구자로, 아바디는 몽마르트르 사크레쾨르 대성당Basilique du Sacré-Cœur de Montmartre을 지은 건축가로 유명하다).

그러나 유럽의 작은 수도원들은 여전히 폐허로 남아 있었는데, 미국의 조각가이자 중세 미술 수집가 조지 그레이 버나드George Grey Barnard 1863~1938는 프랑스의 이 수많은 로마네스크 건축물의 잔해를 매입해서 미국으로 들여와 뉴욕 맨해튼 북쪽 허드슨 강이 내려다보이는 언덕에 세심하게 재구축했다. 그 후 록펠러 재단이 이를 인수해 성물함, 제기 같은 조각품, 스테인드글라스 같은 건물 장식품 그리고 원주 조각이나 문설주 같은 건축 유물들을 더 입수하여 확장한 것을 뉴욕시에 기증했다. 바로 이곳이 뉴욕 메트로폴리탄 미술관의 일부인 '클로이스터'로 지금은 일반인에게 공개되고 있다.

산사의 아름다움을 간직한 로마네스크 성당

필자라면 누구나 비슷하겠지만, 나는 이 책에 특별히 애정을 기울였다. 내가 이 책을 쓸 때 가장 중요하게 생각한 것은 로마네스크 성당을 처음 방문하는 사람이 어떤 순서로 성당을 접하게 될까, 그럴 때 어떤 지식이 감상에 도움이 될까, 그동안 내가 수많은 관련 서적을 읽고 건축형식과 공간을 분석한 결과를 어떻게 하면 독자들이 로마네스크 건축에 쉽게 접근할 수 있도록 풀어낼 수 있을까 하는 것이었다. 또한 정보만을 위한 책이 아니라 로마네스크 성당을 둘러보는 경험을 할 수 있는 책, 감상의 책이 되도록 하는 것이었다.

그래서 이 책에서는 성당의 외부, 건축구조, 성소, 내부, 수도원 안뜰의 순서로 풍부한 사진과 함께 로마네스크 양식의 특징을 살펴보는 방식을 취했다. 1장에서는 성당의 외부를 이루는 요소들, 성당의 위치, 크기, 재료, 석공 마감 등을, 2장에서는 로마네스크 성당의 일반적인 건축구조와 그것을 벗어난 다양한 구조가 특히 외부에 어떻게 나타나는가를 보여줄 것이다. 3장과 4장에서는 성소를 비롯한 성당 내부 구조와 형태를 자세히 살펴보고, 5장에서는 수도원의 역사와 수도원 안뜰의 조각에 초점을 맞추었다. 마지막 6장에서는 로마네스크 성당에 공통적으로 나타나는 미적, 조형적 원리들을 살펴보았다.

실용적인 건물과는 달리 성당처럼 크고 의미 있는 건물에는 많은 요소들이 개입된다. 실용적인 건물의 경우 기능에 맞는 합당한 재료를 효율적으로 쓰면 목적이 달성되지만, 성당 같은 건물에서는 기능이나 건축공학 이외에 역사적, 사회적, 상징적, 미적, 심리적 요인 등이 건축의 형태나 양식을 결정하는 데 중요한 역할을 한다. 이런 이유로 역사적 · 사회적 배경은 1장에서, 건축사와 교회사는 2장에서 톺아보고, 상징적 · 심리적 · 미적 요소는 2~4장에 걸쳐 광범위하게 살펴보았다.

이런 다각적인 접근은 그동안 수없이 읽은 관련 서적에서 얻은 지식에 빚진 바 크지만, 내 나름대로의 분석과 성찰 덕분이기도 하다. 나는 로마네스크 시대의 건축가가 되었다고 상상했다. 전 시대의 건축가들로부터 무엇을 물려받았고, 이 시대가 요구하는 것은 무엇이며, 당대의 재료, 기술, 지식이 허락하는 한도 내에서 이를 어떻게 해결해야 했을까를 상상하려고 노력했다. 따라서 이 책에는 다른 미술사 책에서와는 달리 나의 추론과 판단이 많이 들어가 있다.

또한 이 책은 구조상으로는 미술사 책이 아니며 내용상으로는 개인적인 여행기가 아니다. 그러나 내가 어떻게 로마네스크 건축을 발견했는가에는 내 개인의 역사가 개입되어 있고, 그것을 어떻게 내 연구로 발전시켰는가에는 미술 교육자로서의 자각이 연루되어 있다. 거기에다 예술가의 입장에서 역사와 문화를 초월하는 아름다움을 대면한 경이로움을 어떻게 빼놓을 수가 있을까?

미국에 와서 공부할 때 나는 한국에서 사람들의 발길이 드문 겨울 산사를 찾곤 하던 경험을 무척 그리워했다. 그런데 그 분위기를 역사와 문화와 종교가 전혀 다른 유럽에서 찾은 것이다. 같은 종교적인 건축물이라 해도 고딕 성당에서는 산사에서와 비슷한 느낌을 받지 못했기에 그 분위기는 로마네스크 성당만의 것이 아닐까 싶다. 과장이 심하지 않고 정돈되어 있으며 고요한 분위기의 로마네스크 성당은 한국인의 정서에 맞을 것이라고 나는 생각한다. 어쩌면 내가 한국인이었기에 천 년이 지난 서양 건축의 아름다움을 현대의 서양 사람들보다 더 예민하게 감지한 것은 아니었을까?

마지막으로 독자에게 바라는 바는, 사진을 볼 때 실제 장소에 서서 그 장면을 바라본다고 생각하고 그럴 때 어떤 느낌을 받고 어떤 생각을 하게 될까 상상하라는 것이다. 그렇게 적극적으로 우리 자신을 상상의 공간으로 인도하지 않으면 로마네스크 건축이 주는 조용한 아름다움의 목소리가 잘 들리지 않을지도 모르기 때문이다.

1.

로마네스크 성당과의
첫 만남

성당을 방문할 때 우리가 제일 먼저 관심을 갖는 것은 무엇일까? 아마 성당이 얼마나 큰지, 어디에 있는지, 무슨 재료로 지어졌는지 하는 외면적인 사항들일 것이다. 흥미롭게도 다른 양식의 건축물과는 달리 로마네스크 성당은 이런 외면적인 사항에서 로마네스크 시대의 역사적, 사회적 상황을 읽어낼 수 있다.

로마네스크 성당들은 크기, 위치, 재료의 세 가지 면에서 믿기지 않을 정도로 다양하다. 이 다양함은 무엇을 말해주는 걸까?

중세 유럽인의 일상을 함께한 다양한 크기의 성당들

유럽 전역을 통틀어 로마네스크 성당은 아주 자그마한 것에서부터 엄청나게 큰 것까지 규모의 차이가 대단히 크다. 11세기에 기독교는 유럽의 모든 사회 계층을 속속들이 지배하고 있었는데, 서유럽의 경우 로마 교황을 정점으로 전역이 수많은 대교구로 나뉘어 있었다. 예컨대 11세기 프랑스의 영토는 십여 개, 이탈리아는 서른여 개의 대교구로 나뉘어 있었다.

대교구마다 대개 수도의 역할을 하는 도시가 하나씩 있었는데, 이 도시의 종교적 권위자는 '대주교'였다. 대교구는 더 작은 교구로 나누어져 '주교'가 다스렸고, 그 교구 안의 더 작은 교구들은 '신부'들이 보살폈다. 교회가 세속적인 기능도 수행하고 있었기 때문에 이것은 지역적인 동시에 행정적인 분할이었다.

이 위계구조와는 다소 독립적으로, 크고 작은 수도원들이 평생을 기도와 예배에 바

카르도나 산비센테 성당
에스파냐 | 카르도나

소금광산으로 유명한 카르도
나 성의 영주가 지은 성당인
데, 개인의 것으로는 상당히
큰 편이다. 하지만 내부는 단
순하고 비례감이 좋아 아름
답다.

리셰르 생드니 성당
프랑스 | 리셰르
끝없이 펼쳐진 밀밭 한가운데
서 있는 작고 소박한 성당이다.

치고자 하는 수사와 수녀를 위해 지어졌다.

이 모든 종교기관이 각자 성당을 두었던 데다 유력한 봉건 영주들도 자신의 성곽 안에 성당이나 예배실을 지었으니 로마네스크 성당의 크기가 다양한 것은 당연한 일이다.

그중 가장 인상적이었던 것은 에스파냐의 카르도나 산비센테 성당Iglesia de San Vicente de Cardona으로서 높은 언덕에 카르도나 성곽의 동쪽 부분을 이루며 주변 산야를 내려다보고 있었다. 카르도나 성은 소금광산으로 유명한 이 지역을 지키기 위해 지어졌다고 한다. 영주가 소금으로 부를 많이 축적했는지 성당은 개인의 것으로는 규모가 상당히 크다. 하지만 내부는 단순하고 비례감이 좋아 성당 외관의 큰 규모가 주는 첫인상과는 대조되는 아름다움을 느낄 수 있었다.

이와는 대조적으로 작은 교구와 작은 수도원에 소속된 성당은 크기가 작은데, 특히 프랑스에서 만난 작은 성당들은 잊을 수가 없다. 하나는 프랑스 서부 리셰르의 끝없이 펼쳐진 밀밭 한가운데 문득 서 있는 리셰르 생드니 성당인데, 크기도 작고 장식도 많지 않았지만 재료로 쓰인 돌이 공들여 다듬어져 있었다.

평지에 있던 리셰르 생드니 성당과는 달리 프랑스 남부에 위치한 생마르탱드롱드르 생마르탱 성당Église Saint-Martin de Saint-Martin-de-Londres은 구불구불한 산길을 몇 시간이나 달려가서 찾아낸 곳이다. 외진 곳의 작은 성당이라 건축에 세심한 신경을 쓰지 못했을 법한데도 제법 잘 다듬어진 돌과 외부 장식으로 상당히 세련된 모습이었다. 궁금한 마음에 설명을 읽어보니 생길렘르데제르 수도원Abbaye de Saint-Guilhem-le-Désert에서 수사 십여 명이 나와 그 성당을 지었다고 한다. 당시 생길렘르데제르 수도원의 거대한 규모와 권력을 감안하면 이 작은

생마르탱드롱드르
생마르탱 성당
프랑스 | 생마르탱드롱드르

외진 곳의 작은 성당이지만
상당히 세련된 모습이다.

성당이 그토록 잘 지어졌다는 사실이 놀랍지만은 않다.

　　　　작고 아름다운 로마네스크 성당으로 치자면 에스파냐 북부 아스투리아스 지방의 초기 로마네스크 성당들을 빼놓을 수 없다. 8세기에 이베리아 반도를 점령한 이슬람 세력은 이 아스투리아스 지방만 기독교 세력에게 남겨두었는데, 아스투리아스 지방은 15세기에 이슬람 세력을 반도에서 완전히 몰아내는 에스파냐 왕국의 씨앗이 되었다. 이 성당들은 900년대에 지어졌는데, 전체의 비율이 조화를 잘 이루어 규모가 작은데도 불구하고 예상 밖으로 감동을 주었다. 도대체 무엇이 나를 그렇게 감동시켰을까. 아스투리아스 지방의 주도, 오비에도에 위치한 산훌리안데로스프라도스 성당Basílica de San Julián de los Prados의 바깥 잔디밭에 앉아서 내가 도달한 결론은 건물의 길이length, 폭, 높이의 비례가 좋아서였다는 것이다. 아스투리아스 지방의 성당들은 후대의 로마네스크 성당들보다 길이가 짧아 비례가 조화로운 조각을 보는 것 같았다.

　　　　그보다 훨씬 더 동쪽에 위치한 카탈루냐 지방의 산지에도 작은 성당들이 많다. 피레네 산맥의 서쪽에 해당하는 카탈루냐 지방은 당시에 프랑스 남부의 유력한 영주들과 교류가 잦았던 곳이고 프로방스를 통해 이탈리아 북쪽의 '최초의 로마네스크 양식'이 전해진 곳이다(45쪽 설명 참조). 비교적 좁은 지역에 아주 작은 지역구 성당들이 모여 있는데, 지금은 대부분 사용되고 있지 않지만 복구는 제법 잘되어 있다. 크기는 비슷하지만 구조나 장식에서 서로 조금씩 다른 점도 인상적이었다. 바루에라 산펠릭스 성당Iglesia de San Félix de Barruera은 그중에서도 아주 작고 아담한 성당이다.

　　　　대주교가 관장하는 큰 도시의 성당들이 이런 성당들에 비해 훨씬 크게 지어진 것은

바루에라 산펠릭스 성당
에스파냐 | 히로나

카탈루냐 지방의 좁은 산지
에 모여 있는 작은 성당들
중에서도 특히 작아서 아담
하고 비율이 좋은 성당이다.

당연한 일이다. 이런 성당은 '대성당'cathedral이라고 불린다. 프랑스의 대성당은 대다수가 고딕 양식으로 지어져 로마네스크 양식은 그리 많지 않다. 11세기 프랑스에서는 큰 도시가 충분히 발달하지 못했기 때문이기도 하지만 그나마 있던 로마네스크 대성당도 후에 도시가 번영하면서 고딕 양식으로 재건축되었기 때문이기도 하다. 또한 고딕 양식이 프랑스에서 유래했기 때문에 대성당의 건축양식으로 선호되었던 탓도 크다.

일찍부터 도시가 발달되었던 이탈리아의 큰 도시에는 꼭 로마네스크 대성당이 있는데, 그중 기울어진 탑으로 유명한 피사 대성당Duomo di Pisa 또는 Cattedrale di Santa Maria Assunta이 가장 널리 알려져 있다. 처음 내가 피사 대성당을 방문했을 때 성당 자체가 종탑과는 비교가 되지 않을 정도로 엄청나게 크고 화려하게 지어져 있는 것을 발견하고는 놀랐던 기억이 난다. 피사에 와서 유명세에 떠밀려 성당에 딸린 '피사의 사탑'만 보고 이렇게 훌륭한 성당은 그냥 지나쳐버리는 것은 안타까운 일이다.

수도원이 중요한 성물을 얻게 되면 그곳은 주요 순례지가 되어 많은 순례자들이 찾게 되고 이들의 봉헌으로 상당히 부유해져 확장하게 된다. 거의 모든 순례지의 큰 성당들은 사실상 11세기에 이런 식으로 새로이 지어졌다. 이 점을 잘 보여주는 것이 산티아고데콤포스텔라 대성당이다.

초기 기독교 시대부터 예루살렘과 로마는 예수와 베드로가 순교한 성지로서 순례길의 가장 중요한 종점이었다. 그런데 예루살렘은 7세기에 아라비아에서 일어난 이슬람이 급속히 세를 확장하면서 북쪽으로 올라왔기 때문에 순례자들에게 위험한 곳이 되었다. 그러던 차에 9세기에 예수의 열두 제자 중 한 사람인 야고보의 유골이 에스파냐의 북서쪽 해안 지방

피사 대성당
이탈리아 | 피사

기울어진 종탑 '피사의 사
탑'이 더 유명하지만, 그에
못지 않은 관심을 받아 마땅
할 만큼 훌륭한 성당이다.

에서 기적적으로 발견되었다는 소식이 널리 퍼졌다.

거기에 성당이 세워진 것은 당연지사. 세월이 갈수록 이 성당은 유럽 전역의 기독교인들이 가장 방문하고 싶어하는 순례지가 되었는데, 9세기 말 무렵에는 프랑스 전역에 걸쳐서 4개의 순례 노선이 생겼을 정도다.

이 많은 순례자를 수용하기 위해 결국은 큰 성당이 새로이 세워져야 했고, 1040년에 건축이 시작되어 1128년에 완성되었다. 이 성당이 바로 산티아고데콤포스텔라 대성당이다. 지금은 성당 외부에서 로마네스크 양식을 찾아보기 힘들다. 성당의 명성에 걸맞도록 장엄한 인상을 주기 위해 18세기에 바로크 양식으로 성당의 전면을 둘러싸버렸기 때문이다. 특히

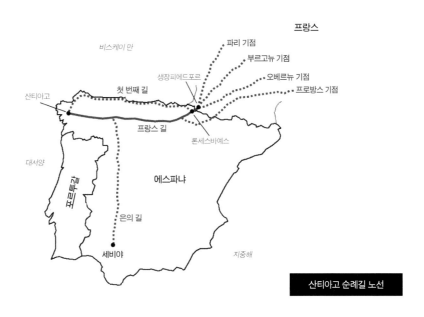

산티아고 순례길 노선

서쪽 입구는 무척이나 복잡하고 화려한 바로크 조각으로 장식되어 있어서 로마네스크 건축의 조용함을 사랑하는 사람들은 실망하기 십상이다. 내부는 그래도 옛날의 구조와 모습을 그대로 간직하고 있다.

　　　프랑스의 많은 성당이 성자의 유골이 안치된 순례성당이다. 순례자들의 출발점은 파리 근교, 부르고뉴, 오베르뉴, 프로방스였고, 이 네 개의 길은 에스파냐 피레네 산맥 북쪽에서 만나 산티아고로 이어졌다. 파리 노선에서는 푸아티에, 부르고뉴 노선에서는 베즐레, 오베르뉴 노선에서는 르퓌앙벌레, 콩크 그리고 프로방스 노선에서는 아를과 툴루즈에 있는 큰 성당들이 앞으로 소개될 것이다. 이런 큰 성당뿐 아니라 앞으로 소개될 많은 중간 규모 성당들도 순례자들이 찾는 곳이었다.

　　　그중 클뤼니 수도원 성당이 가장 컸는데 로마네스크 시대에 유럽에서 가장 큰 성당이었다. 수도원은 910년에 세워진 후 급성장했기 때문에 두 번째 지어진 수도원 성당으로도 부족해 세 번째 성당Cluny III을 크게 다시 지어야 했다. 수도원의 번영이 정점에 달했을 때는 유럽 전역에 거의 천 개의 지부 수도원을 두었을 정도였다니 건물은 물론이고 종교적 세력에 있어 클뤼니 수도원의 영향이 얼마나 막강했는지 상상할 수 있다. 그랬기 때문에 클뤼니 수도원과 성당은 프랑스 혁명정부의 대표적인 표적이 되어 철저하게 파괴되었다. 지금은 성당의 크기를 가늠케 하는 종탑 하나와 약간의 부속 건물 그리고 돌무더기만 남아 있을 뿐 영화로웠던 예전 모습을 상상하기 힘들다.

클뤼니 수도원의 세 번째 성당

프랑스 | 클뤼니

로마네스크 시대 유럽에서 가장 큰 성당이었으나 프랑스혁명 때 파괴되어 지금은 전성기 모습을 상상하기 힘들다.

산후안데라페냐 수도원
성당
에스파냐 | 하카

깊은 산속 커다란 바위 밑에
지어져, 수도원 성당과 안뜰
의 천장에 바위가 그대로 노
출되어 있다.

산속 오지의 수도원 성당,
교역 중심지 도시의 이탈리아 성당

로마네스크 성당은 상당수가 수도원 성당으로 지어졌기 때문에 마을이나 도시와는 동떨어진 깊은 계속이나 산속 높은 곳에 위치한 경우가 많다. 이런 곳을 찾아가려면 차로 몇 시간이나 이리저리 굽은 산길을 위태롭게 달려야 할 경우가 많다. 그러나 이렇게 찾아간 성당이 깊은 감동을 줄 때 그 경험은 무엇과도 바꿀 수가 없다.

이런 성당들은 대부분 사람들이 많이 찾지 않기 때문에 조용하고 명상적인 분위기를 느낄 수 있다. 아마 내가 한국의 산사에서 경험한 것과 비슷한 느낌을 가졌던 것은 대개 이러한 수도원 성당들에서였던 것 같다. 이런 곳에서는 세속에서 그렇게 크게 생각되었던 것들이 정말 우리에게 본질적인 것인가 하는 근본적인 질문을 하게 된다. 그리고 그저 도시나 시장이 아닌, 그러나 사람이 만들어놓은 것이 분명한 명상의 공간이 이 시대에 얼마나 필요한 것인가 하는 생각을 하게 된다.

에스파냐의 산후안데라페냐 수도원Monasterio de San Juan de la Peña 성당은 그렇게 만난 성당 중 하나다. 이 수도원은 깊은 산속 커다란 바위 밑에 지어졌는데, 당시 에스파냐를 광범위하게 점령하고 있던 이슬람 세력의 위협을 피하기 위해서였다고 한다. 수도원 성당과 안뜰의 천장에는 바위가 그대로 노출되어 있다.

이와 비슷한 성당이 이탈리아에도 있는데, 천사장 미카엘이 출현했다는 산탄젤로 산 정상 암벽 석굴을 중심으로 지어진, 산미켈레아르칸젤로 성지Santuario di San Michele Arcangelo

콩크 생트포이 수도원
성당
프랑스 | 콩크

산길을 몇 시간씩 달린 후에
야 만날 수 있는 오지의 성당
이다. 깊은 계곡 속, 중세에
형성된 마을의 중심에 있다.

성당이다. 도로가 잘 닦여 있긴 했지만 산길이어서 한참을 어렵사리 달려야 했고, 그날따라 바람이 몹시 불어 무언가를 붙들지 않으면 날려 갈 지경이었다. 콩크 생트포이 수도원Abbatiale Sainte-Foy de Conques 성당, 생길렘르데제르 수도원 성당, 생마르탱드롱드르 생마르탱 성당 등 프랑스 성당들도 그렇게 산길을 몇 시간씩 달린 후에야 만난 성당들이다.

이에 반해 이탈리아에는 성당이 도시에 있는 경우가 많다. 서유럽의 다른 지역과는 달리 로마제국 붕괴 후에도 로마제국에서 발달한 도시들의 역사적 전통이 많은 부분 살아남아 있었기 때문에 이탈리아의 도시들은 중세에 교역이 발달하기 시작하면서 빨리 부흥할 수 있었다. 특히 이탈리아는 동방과 서방 중간에 위치하고 있어서 교역의 중심지로 발달하기에 좋은 지리적 조건을 갖추고 있었다. 따라서 대부분의 도시에는 로마네스크 성당이 있고, 피렌체, 피사, 모데나, 베로나, 바리 같은 큰 도시의 성당들은 규모가 대단히 크고 모두 대성당, 즉 대주교좌 성당이다.

바닷가에 위치한 성당들도 인상적이었다. 프랑스에 있는 탈몽 생트라드공드 성당Église Sainte-Radegonde de Talmont은 북해로 나가는 지롱드 강 어귀 높은 암벽 위에 위치하고 있는데, 작은 규모에도 불구하고 장식이 섬세했다. 성당에 안치된 성녀 라드공드St. Radegonde 520경~587가 항해자를 보호하는 성인이어서인지 소예배실에 배 모형이 걸려 있다. 이탈리아 남동부 풀리아 지방의 항구도시 트라니에 위치한 트라니 대성당과 몰페타 산코라도 대성당은 탈몽의 성당과는 차원이 다르게 크고 장엄하다. 동방과의 무역이 활발하던 지역의 경제적 배경이 반영된 결과일 것이다.

탈몽 생트라드공드 성당
프랑스 | 탈몽쉬르지롱드

북해로 나가는 지롱드 강 어
귀 높은 암벽에 위치하고 있
는 작은 성당이다. 성당이
자리한 터 때문인지 뒤쪽에
있는 신랑이 매우 짧다.

몰페타 산코라도 대성당
이탈리아 | 몰페타

로마네스크의 형식미가 아름
답게 드러나는 엄숙한 분위
기의 성당이다. 신랑 천장이
드물게도 돔으로 되어 있다.

돌이 빚어내는 견고하고 소박한 아름다움

로마네스크 성당의 주요 건축재료는 벽돌이나 돌이었고, 벽돌이나 돌로 쌓은 바깥 벽과 안쪽 벽 사이는 콘크리트로 메웠다. 콘크리트는 시간이 지나면 굳는 걸쭉한 모르타르에 벽의 강도를 높이는 수단으로 자갈이나 부서진 벽돌 같은 것을 넣어 만들었는데, 이 방법으로 로마인들은 거대한 공공건물을 지탱하는 두꺼운 벽을 구축할 수 있었다. 그러나 로마제국이 멸망하고 큰 공공건물이 사라진 지 수백 년이 되었고 로마의 유산이라고는 폐허밖에 없던 로마네스크 시대 서유럽의 실정에서 이 방법을 되살려 커다란 건물을 짓는 일이 쉽지만은 않았을 것이다.

게르만족 침입 이후 처음으로 크고 튼튼한 건물을 지은 것은 프랑크 왕국이었다. 샤를마뉴는 왕국의 수도라고 할 수 있는 아헨에 인상적인 궁정과 성당을 세웠고, 신성로마제국 황제의 제위를 넘겨받은 오토 왕조 역시 큰 성당을 많이 세웠다. 이 성당들은 대개 천장이 나무로 되어 있다. 이처럼 동프랑크 지역의 성당이 대개 천장은 나무로 되어 있고 규모가 컸다면, 10~11세기 초 이탈리아 북부, 프랑스 남부, 에스파냐 동부에 지어진 성당들은 규모는 작지만 대개 아치형의 돌 천장을 가지고 있다. 학자들은 이런 형태의 로마네스크 양식을 '최초의 로마네스크'First Romanesque 혹은 그 발상지인 롬바르디아의 지명을 따라서 '롬바르드 로마네스크'Lombard Romanesque 라고 명명했다.

이 최초의 로마네스크 건물을 짓는 데 큰 공헌을 한 사람들은 롬바르디아의 벽돌공들이었다. 6세기 비잔틴제국이 동고트 왕국의 지배하에 있던 라벤나를 점령한 뒤 라벤나에 성당을 대대적으로 건축했는데, 이때의 벽돌 쌓는 기술이 라벤나와 지리적으로 가까웠던 롬바르디아의 벽돌공들에게 전해져 살아남아 있었던 것이다. 800년을 기점으로 발달하기 시작한 최초의 로마네스크 양식은 10세기경에 이르러서는 론 강을 타고 프랑스 · 스위스 · 독일 지방으로, 피레네 산맥을 넘어 에스파냐로 퍼져갔다. 최초의 로마네스크 양식은 벽돌이나 벽돌처럼 작게 깎은 돌로 벽을 쌓고, 실내외를 장식하는 돌조각 없이 '롬바르드 부조'로 처마 밑과 벽을 장식한 것을 특징으로 한다. '롬바르드 부조'는 넓은 벽을 쌓아갈 때 부분적으로 벽면을 돌출시켜 만든 작은 막힌 아치나 띠를 말하는데, 돌출된 높이가 무척 낮기 때문에 기능보다는 미적 조형성을 위해 만들어진 것으로 보인다. 비용을 크게 들이지 않고도 넓은 벽면에 구조성과 장식성을 부여하는 기발한 발상이 아닐 수 없다.

　　　프랑스의 투르뉘 생필리베르 성당, 에스파냐의 카르도나 산비센테 성당은 언뜻 보면 벽돌로 지어진 것 같지만 자세히 보면 모두 깎은 돌로 이루어져 있는데, 이는 롬바르디아의 영향을 많이 받은 것으로 볼 수 있다. 이 두 성당 외에도 프랑스나 에스파냐의 성당 대부분이 깎은 돌로 지어졌다.

　　　그런데 로마 시대의 건물들과 이탈리아의 수많은 로마네스크 성당이 벽돌로 지어진 데 반해, 프랑스의 성당에서는 왜 돌이 쓰였을까? 돌이 벽돌보다 불에 강하거나 보기에 좋아서였을까? 기록이 없기 때문에 정확한 답은 알 수 없지만, 로마네스크 시대 이전까지의 사회경제적 조건의 차이 때문이 아닌가 생각한다. 옛 로마제국이나 비잔틴제국의 세력 아래 있던 북이탈리아에서는 건축 붐이 일고 도시가 서로 가까이 위치하고 있었기 때문에 벽돌 산업이 발달되고 지속될 수 있었다. 하지만 서유럽은 로마제국의 '변방'이었고, 게르만족의 침입으로 그나마 있던 로마 시대의 흔적도 많이 사라졌기 때문에 지속적인 수요가 필요한 벽돌 산업이 발달될 수 없었을 것이다. 프랑스에서는 10세기부터 채석기술이 발달되었고 좋은 돌 산지도 많았기 때문에 거의 모든 성당이 돌로 지어졌다. 이탈리아에서는 솜씨 좋은 롬바르디아 벽돌공 덕분인지 벽돌이 많이 쓰였으나, 곧 돌이 그 자리를 대신했다.

돌은 주로 가까이서 구할 수 있는 것을 썼다. 동물이 끄는 수레 정도가 운송수단의 고작이었던 당시로서는 막대한 양의 돌을 먼 지방에서 가져오려면 엄청난 노력과 비용이 드는 일이었기 때문이다. 예컨대 프랑스의 콩크 생트포이 수도원 성당은 세 가지 돌로 지어졌는데, 모두 그리 멀지 않은 주변 채석장에서 옮겨온 것이었다. 특히 짙은 회색의 점판암은 성당이 소재한 지방에서 무한정으로 채석할 수 있었기 때문에 그 지역의 집과 성당의 지붕은 모두 점판암의 얇고 둥근 조각으로 덮여 있다.

이탈리아 토스카나 지방의 성당들은 녹색의 대리석을 넣어 만든 문양으로 독특하다. 회색, 연녹색, 녹색, 진녹색 등의 색조를 띠는 이 대리석은 토스카나 지방의 도시 프라토에서 나는 것이어서 '프라토 대리석'이라고도 하는데, 흰 대리석과 함께 토스카나의 수많은 로마네스크 성당을 장식하고 있다. 피렌체에서 조금 떨어진 피스토이아에 있는 산조반니푸오르치비타스 성당Chiesa di San Giovanni Fuorcivitas의 프라토 대리석은 색조가 특히 선명하여 성당 전체 벽면을 아름다운 녹색 띠가 두르고 있는 듯 보인다.

산제노 성당Basilica di San Zeno 입구의 원주를 받치고 있는 돌사자는 성당이 위치한 베로나 지방 대리석으로 만들어졌는데, 미색과 붉은색이 감도는 특유의 빛깔이 강렬한 느낌을 준다. 바리, 몰페타, 트라니 등 이탈리아 동남부 해안지방에 있는 석회암 채석장들은 지금

**콩크 생트포이 수도원
성당의 지붕**

프랑스 | 콩크

성당이 소재한 지역에서 쉽게 구할 수 있는 회색 점판암을 얇고 둥글게 가공하여 지붕에 얹었다.

산조반니푸오르치비타스
성당의 외벽
이탈리아 | 피스토이아

'프라토 대리석'의 색조
가 특히 선명하여 성당
전체가 아름다운 녹색
띠를 두르고 있는 듯 보
인다.

도 채석된 돌들을 공급하며 이 지방 성당들을 부드러운 크림색으로 빛나게 하고 있다.

이렇듯 소재 지방의 돌로 지어진 로마네스크 성당들은 마치 서 있는 그 땅에서 자연스럽게 자라난 것처럼 보인다. 먼 곳으로 항해를 떠났다가 돌아오는 선원들에게 트라니나 몰페타의 항구에 높이 솟은 흰 성당들은 등대처럼 멀리서도 빛났을 것이다. 그 광경이 그들에게 어떤 감흥을 주었을지 상상이 가고도 남음이 있다.

외벽을 이루는 돌은 얼마나 기후에 잘 견디는가가 관건이다. 어떤 돌이 기후에 잘 견디는지 중세 사람들이 잘 알고 있었더라면 더 많은 로마네스크 성당들이 지금까지 잘 보존되었을 것이다. 하지만 이에 대한 지식이 부족했는지, 지식이 있었어도 비용 때문에 소재 지역의 돌을 쓸 수밖에 없어서였는지 세월의 시련을 고스란히 보여주는 로마네스크 성당이 숱하다.

일반적으로 세월을 제일 못 견디는 돌은 사암이고, 제일 잘 견디는 것은 화강암이다. 에스파냐의 산티아고데콤포스텔라 대성당은 그 지방에서 많이 나는 회색의 화강암을 써서 비록 전면이 바로크 양식으로 둘러싸여 있어도 로마네스크 양식의 내부는 잘 보존되어 있다. 그러나 대부분의 성당들은 천여 년 동안 끊임없이 보수와 개조에 시달려야 했다. 특히 조각들이 가장 피해가 컸다. 조각의 재료가 되는 돌은 깎지 못할 만큼 단단해서는 안 되기 때문에 덜 단단한 돌을 썼던 것이 그 이유로 짐작된다. 오랜 세월 바깥 환경에 노출된 수도원 안뜰 원주의 조각들은 거의 내용을 알 수 없을 만큼 훼손된 경우가 부지기수인 것은 이런 이유 때문일 것이다.

그러나 보는 사람들의 첫인상에 가장 중요한 것은 돌의 단단함이 아니라 색깔 혹은 질감이다. 에스파냐 북쪽에 위치한 프로미스타의 산마르틴데투르스 성당Iglesia de San Martín de Tours은 사암의 부드럽고 따뜻한 베이지로 우리를 놀라게 하고, 콩크 생트포이 수도원 성당은

산마르틴데투르스
성당의 외벽
에스파냐 | 프로미스타

사암으로 지어진 산마
르틴데투르스 성당은
부드럽고 따뜻한 베이
지 색감이 놀라움을 자
아낸다.

고동색과 옅은 진노랑의 색조로 거칠지만 진솔한 느낌을 준다. 이에 반해 연회색 혹은 녹색의 매끄러운 대리석으로 무늬를 이루고 있는 이탈리아 토스카나 지방의 성당들, 특히 피렌체의 산미니아토알몬테 성당Basilica di San Miniato al Monte이나 피사 대성당은 도시의 세련미를 느끼게 해준다.

일반적으로 돌을 일정한 크기로 잘라서 쓰는 것은 그렇지 않을 때보다 노동력이 더 많이 들기 때문에 비용도 훨씬 더 든다. 이렇게 일정한 크기로 자른 돌을 건축용어로 '마름돌'이라고 한다. 이탈리아 큰 도시들에 소재한 성당이 주는 매끈하게 정돈된 세련미는 다양한 색깔의 대리석을 마름돌로 사용한 데서 기인하는데, 이는 당시 그 도시들이 경제적으로 얼마나 번성했는지를 보여주는 증거이기도 하다.

최초의 로마네스크 양식의 중요한 벽면 장식으로 모자이크를 빼놓을 수 없다. 앞에서 우리는 토스카나 지방의 짙은 녹색 대리석이나 베로나의 분홍색 대리석을 만난 바 있다. 토스카나 지방의 성당들은 이렇듯 다양한 색상의 대리석을 사용하여 모자이크라고 할 수밖에 없는 복잡한 문양을 보여주는 경우가 많은데, 특히 피사 대성당과 루카의 산마르티노 대성당Cattedrale di San Martino의 모자이크는 기술적인 면에서 아주 뛰어나다. 피사는 11세기 말 1차 십자군전쟁에서 크게 성공함으로써 커다란 부를 축적한 데다 십자군전쟁을 통해 이슬람 문화의 뛰어난 모자이크 기술을 직접 경험할 수도 있었다. 루카는 당시 피사의 영향하에 있었는데, 루카의 산마르티노 대성당은 피사 대성당보다 한 걸음 더 진보한 기술을 보여준다.

프랑스 오베르뉴 지방의 성당들도 외벽을 모자이크로 장식했다. 혹자는 비잔틴 문화권의 영향이라고도 하고 혹자는 비잔틴 문화권과는 너무나 떨어져 있기 때문에 옛 로마의

피사 대성당의
모자이크(위)
이탈리아 | 피사

산마르티노 대성당의
모자이크(아래)
이탈리아 | 루카

11세기 말 십자군전쟁
을 통해 이슬람 문화의
뛰어난 모자이크 기술
을 접할 수 있었던 이탈
리아의 도시들에서는
다양한 색상의 대리석
으로 모자이크 같은 복
잡한 문양을 장식해 넣
은 건축물을 쉽게 볼 수
있었다.

이수아르
생토르트르무안
성당의 모자이크(위)
프랑스 | 이수아르

생넥테르 성당의
모자이크(아래)
프랑스 | 생넥테르

모자이크 벽 장식이 조
각이나 작은 원주 또는
막힌 아치 등과 어울려
특별히 매력적이다.

모자이크 기술에 근거한 것이라고도 하지만, 고생대에 화산활동이 활발했던 오베르뉴 지방에는 다양한 색의 화성암이 나기 때문에 석공들이 굳이 옛 전통에 근거하지 않더라도 여러 색깔의 돌을 보면서 모자이크로 벽을 장식하겠다는 발상을 쉽게 떠올릴 수 있었을 것이다. 이수아르 생토트르무안 성당Église Saint-Austremoine d'Issoire은 크림색의 사암·회색의 화강암·흑색의 현무암을 썼고, 생넥테르 성당Église de Saint-Nectaire은 매우 고운 회색의 화성암인 조면암을 썼다. 성당의 벽 장식은 작은 원주나 막힌 아치 등과 어울려 특별히 매력적이다. 르퓌앙벌레 노트르담 대성당Cathédrale Notre-Dame-de-l'Annonciation du Puy-en-Velay은 서쪽 입구면 전체가 모자이크로 장식되어 있다 할 수 있을 정도로 다양한 색깔의 돌을 썼다.

중세에는 성당을 건축하는 데 엄청난 비용과 시간이 들었기 때문에 건축 중간에 비용이 동나는 경우가 적지 않았고, 결과적으로 초기의 계획을 변경하거나 계획과는 다른 재료를 써야 할 때가 많았다. 그렇기 때문에 로마네스크 성당이 일관된 인상을 주는 경우는 드물다. 천년 동안 증축과 재건축 또는 잦은 보수가 되풀이된 결과이기도 하다. 산후안데라페냐 수도원 성당이 위치한 돌산은 특히 습기가 많기 때문에 38쪽의 사진에서 볼 수 있는 것과 같이 수도원 벽은 여러 가지 질감과 색깔의 돌로 구성되어 있어 오랜 역사의 흔적을 생생히 보여준다.

그러나 이런 불규칙성은 감상에 방해가 되기보다는 오히려 매력을 더한다. 그로 인해 건축물이 기나긴 역사를 품고 있음을 느낄 수 있으며, 이런 인식이 우리의 감상에 무의식적으로 좋은 영향을 주기 때문일까? 그럴지도 모른다. 그러나 어쩌면 이런 약간의 불규칙성이 우리 인간의 본질적인 심성에 맞기 때문일지도 모른다. 유명한 건축이론가, 크리스토퍼 알렉산더Christopher Alexander는 동의할 것이다. 이런 불규칙성은 사물에 생동감을 준다.

2.

로마네스크 성당의
구조와 조형성

건축물의 구조적인 면모는 주어진 건축공간의 기능성과 이를 가능케 하는 건축기술의 수준에 의해 많이 좌우된다. 그 공간이 무슨 목적으로 사용되는가, 필요한 건축공학적 기술과 지식이 있는가에 따라 공간의 형태나 크기가 결정된다는 의미다. 그러나 성당같이 크고 문화적으로 의미 있는 건물은 이 두 가지 조건만으로 구조가 결정되지는 않는다. 상징적이고 미적인 고려가 기능적인 고려만큼, 때로는 그보다 더 중요하게 작용하는 경우가 많다. 이것이 예술작품으로서의 '건축'을 단순한 기능적 공간으로서의 '건물'로부터 구별 짓는 중요한 조건이라고 할 수 있다. 이런 의미에서 로마네스크 성당은 그 시대의 건축공학적 기술의 한계 안에서 기능성을 고려하는 데서 더 나아가 건축공간의 형태가 갖는 상징적, 미적 효과를 극대화한 건축물이다. 그 덕분에 긴 직육면체 바실리카에서 시작한 단순한 초기 기독교 회당이 로마네스크 시대에 이르러서는 삼차원적으로 훨씬 더 복잡하고 풍성한 건축물이 되었다.

이 장에서는 특히 외부에 나타나는 구조적인 변화와 장식적인 면모를 살펴보려고 한다. 따라서 건축의 역사적, 공학적 문제가 상징적, 미적 관심하에서 어떻게 해결되었는가에 초점을 맞출 것이다.

로마네스크 성당의 기본은 바실리카

로마네스크 성당은 초기 기독교 회당의 구조를 기본으로 하여 지어졌는데, 초기 기독교 회당은 '바실리카Basilica'라는 로마제국 공회당 건물의 구조를 따랐다. 바실리카는 긴 직사각형의 단순한 건물로서 '주랑'柱廊, colonnade을 경계로 길게 세 부분으로 나누어져 있는데, 가운데 부분은 주회중석인 '신랑'身廊, nave, 양쪽의 공간은 복도인 '측랑'側廊, aisle이다. 신랑은 중요한 만큼 너비가 측랑보다 넓었는데 거의 두 배가 되는 경우도 있었으며, 천장도 측랑보다 대개는 훨씬 높았다. 조명은 측랑의 지붕 위로 솟은 신랑의 벽 윗부분인 '채광층'clerestory과 측랑의 바깥 벽에 창문을 내어 해결했다. 신랑이 끝나는 곳의 벽에는 '후진'後陣, apse이라는 반원통형의 깊은 공간이 있어서 지도자가 높이 앉아 둘러보며 일을 처리하도록 되어 있었다. 입구는 대개 이 직사각형 건물의 긴 변에 나 있었고, 천장은 평평한 나무로 되어 있었다.

초기 기독교 회당이 바실리카 형식을 채택한 이유는 건축이 쉽고 비용이 많이 들지 않을 뿐 아니라, 넓은 홀처럼 되어 있어 많은 신도를 수용할 수 있었기 때문이다. 다만 기독교 회당으로 지을 때에는 입구를 후진의 건너편 짧은 변으로 옮겼는데, 그 이유는 성직자와 신도가 신랑으로 행렬을 지어 들어가 이후 제단을 놓고 미사를 행하는 가장 중요한 곳이 될 후진을 향하여 곧바로 걸어갈 수 있기 때문이었다.

다음 도해는 기독교를 공인한 콘스탄티누스 1세280경~337가 322년에 지은 로마의 성베드로 바실리카의 구조를 보여준다. 우리가 잘 알고 있는 바티칸의 성베드로 대성당Papale Basilica Maggiore di San Pietro in Vaticano은 이 바실리카를 완전히 부수고 16~17세기에 다시 지은 것이라 전형적인 바실리카의 모습은 전혀 찾아볼 수가 없다. 콘스탄티누스 1세가 지은 성베드로 바실리카는 신랑 양편에 각각 두 개의 측랑을 둠으로써 내부 공간을 크게 넓힌 것을 볼 수 있다. 3천~4천 명의 신도를 수용할 수 있었다고 하니 얼마나 컸을지 상상할 수가 있다.

지금 남아 있는 초기 기독교 회당 중에서 규모는 그다지 크지 않지만 가장 아름다

아벤티노 산타사비나
성당
이탈리아 | 로마

초기 기독교 회당 중 가장
아름다운 성당이라고 생각
한다. 외부의 모습은 매우
검소하다.

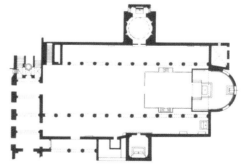

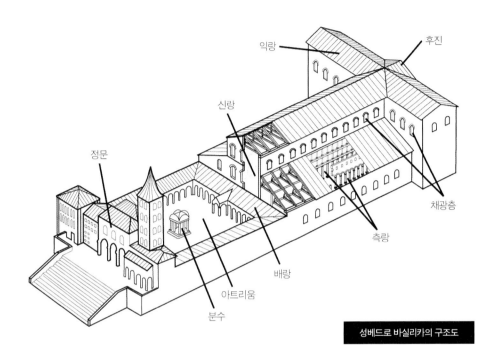

익랑

후진

신랑

정문

채광층

측랑

배랑

아트리움

분수

성베드로 바실리카의 구조도

운 것으로는 로마의 아벤티노 산타사비나 성당Basilica di Santa Sabina all'Aventino을 추천하고 싶
다. 성베드로 바실리카처럼 4세기 초에 지어진 아벤티노 산타사비나 성당은 초기 기독교 바실
리카의 전형적인 구조를 보여주는데, 화려하다고 할 수 있는 내부와는 달리 외부는 매우 검소
한 인상을 주는 것이 당시에는 외부의 모습에 크게 신경 쓰지 않았던 것 같다.

로마네스크 성당의 현관, 배랑

다음 도해는 로마네스크 성당의 전형적인 평면도를 보여준다.

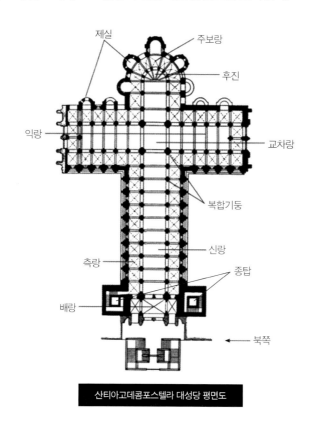

산티아고데콤포스텔라 대성당 평면도

이 도해는 로마네스크 성당이 바실리카의 기본적인 구조에 어떤 부분들이 첨가되어 복잡한 형태로 변해갔는지 한눈에 보여준다. 가장 먼저 일어난 변화는 성당의 출입구 부분이다. 우선 출입구 밖으로 '안뜰'courtyard을 두고 회랑으로 안뜰을 둘러싸는 구조가 생겨났다. 성당 내부의 주랑에서도 그랬듯이 열을 지어 천천히 성소로 걸어가는 제례에 효과적인 구조였을 것이다. 또한 예배 후에 신도들이 모여 교제를 나누는 곳이기도 했는데, 앞서 나온 성베드로 바실리카 구조도의 '아트리움'이 바로 그런 곳이었다.

그러나 초기 기독교 회당에서는 매우 흔한 구조였던 안뜰은 로마네스크 시대의 건물에서는 찾아보기 힘들다. 많은 로마네스크 성당들이 수도원의 성당으로 지어졌고 수사들은 수도원 건물에서 성당 측랑의 옆문을 통해 직접 성소로 들어가게 되어 있어서, 주 출입구에 부가적인 구조를 덧붙일 필요는 별로 없었을 것이다. 내가 방문한 그 수많은 로마네스크 성당 중에 주 출입구 밖에 안뜰이 있는 것은 이탈리아 밀라노의 산탐브로조 성당Basilica di Sant'Ambrogio이 유일했다. 아치가 반복되는 주랑이 안뜰을 사면으로 둘러싸고 있어서 아늑함을 줄 뿐만 아니라 베란다라고 할 수 있는 출입구 위층에도 크기가 다른 아치가 반복되고 있어서 통일감이 있었다. 안뜰 구조는 9세기에 만들어진 것이니 초기 로마네스크 시대의 것이라고 할 수 있다.

로마네스크 시대에는 안뜰이 없는 대신 주 출입구에 공간을 덧붙이는 경우가 많았다. '배랑'拜廊, narthex이라고 하는 이 공간은 외부에서 내부로 들어가는 전이를 자연스럽게 하는 현관 같은 기능을 한다. 규모가 좀 큰 성당은 성당의 일부분으로 주 출입구 안쪽에 가로로 홀과 같은 배랑을 두었고, 신랑과 측랑으로 들어가는 아치문을 조각으로 화려하게 장식하기도 했다. 베즐레 생트마리마들렌 대성당의 배랑이 이런 조각으로 유명하다.

반면에 규모가 작은 성당은 주 출입구 바깥쪽에 지붕 덮인 공간을 두는 것으로 만족했던 것 같다. 이탈리아 루냐노인테베리나의 산타마리아아순타 성당Chiesa Collegiata di Santa Maria Assunta과 베롤리의 카사마리 수도원Abbaziar di Casamari 성당에서 이러한 배랑을 만나볼 수 있는데, 아무래도 이렇게 지붕이 낮고 사방이 트인 배랑을 짓는 것이 성당 자체에 배랑을 설치하는 것보다 훨씬 비용이 적게 들어서 선호되었을 것이다.

기능은 매우 비슷하지만 서쪽 면 대신 남쪽 면에 이런 지붕 덮인 열린 공간을 두고 있는 성당들을 에스파냐의 세고비아와 아빌라에서 꽤 만나보았다. 다른 데서는 볼 수 없었던 것이라 신기했는데, 그렇게 다르게 지어진 데 특별한 이유는 없었던 듯하다. 다만 그런 공간이 성당의 긴 면에 붙어 있어서 더 넓고, 남쪽이라 더 밝고 따뜻해 어쩌면 그것이 신도들이 모이는 곳으로 더 적절한 것으로 여겨져 그곳 성당들이 모두 그 구조를 따르게 되었는지도 모른다. 이렇게 로마네스크 성당들은 고딕 성당들과는 달리 지방색이 강하다.

예배에 참석하는 신성로마제국의 황제를 위해 평신도와는 구별되는 공간을 둬야 했던 독일의 로마네스크 성당에서는 배랑이 애초부터 복잡한 양상을 보였다. 주 출입구에 후진 같은 둥근 공간과 제단을 두고, 황제가 성당 밖 대중에게 모습을 보이기 위해 주 출입구가 있는 벽면 2층에 발코니를 추가하는 경우도 적지 않았다. 또한 장엄한 인상을 주기 위해 양쪽에 높은 첨탑을 두기도 했다.

카롤링거 왕조 때부터 황제가 예배에 참석하는 성당의 주 출입구는 이렇듯 복잡한 구조를 하고 있었는데, 오토 왕조에 이르면 황제가 방문하지 않는 성당의 주 출입구도 복잡한 구조를 보이게 된다. 이를 보면 독일의 많은 도시들은 제국이라는 정치적 지위에 꽤 민감했던

산탐브로조 성당
이탈리아 | 밀라노

아치가 반복되는 주랑
이 안뜰을 사면으로 둘
러싸고 있어 아늑함을
준다.

모양이다. 그래서인지 독일의 성당들은 프랑스, 에스파냐, 이탈리아 같은 라틴 유럽 국가들의 성당들과는 무척 다른 인상을 준다.

수용 인원을 늘리고 십자가의 상징성을 부여한 익랑과 교차랑

기본적인 바실리카 구조에 일찌감치 더해진 부분은 '익랑'翼廊, transept으로 본래의 직사각형 형태를 직각으로 가로지르는 부분이다. 앞서 나온 성베드로 바실리카의 구조도는 T 자형으로 된 초기 익랑의 예를 보여준다. 익랑은 처음에 제단을 두 개 더 놓기 위해 생겼다고 하지만 로마네스크 성당에서 실제 그렇게 쓰였는지는 확실치 않다. 그러나 이 T 자형 익랑은 곧 십자가형으로 바뀌게 된다. 큰 성당의 경우 익랑은 바실리카 본체의 신랑과 폭도 같고 양편에 측랑이 있는 것이 많다. 앞서 나온 산티아고데콤포스텔라 대성당 평면도(62쪽)는 이를 잘 보여준다. 십자가형 익랑은 건물의 수용 인원을 배로 늘리는 효과가 있어서 점점 늘어가는 신도들을 수용하는 데에 매우 유용한 데다, 이로 인해 성당의 평면도가 십자가 형태를 띠게 되므로 상징성에 있어서도 그보다 더 흡족한 디자인은 없었을 것이다.

이 구조에서 우연히 생겨난 것이 '교차랑'交叉廊, crossing으로, 익랑과 신랑이 만나면서 이루는 정사각형의 공간이다. 곧 로마네스크 건축가들은 교차랑의 천장을 높이고 그 벽에 작은 창문들을 내어 빛이 더 들어오게 했다. 그 위에는 대개 탑이 세워졌는데, 다른 부분보다

올네 생피에르
성당의 종탑
프랑스 | 올네

가운데 보이는 종탑이
성당 전체에 비해 상당
히 크다.

높고 창문이 나 있는 모양이 마치 랜턴처럼 보인다 하여 '랜턴탑'lantern tower이라고 불린다.

　　　파레이르모니알 사크레쾨르 성당Basilique du Sacré-Cœur de Paray-le-Monial이나 오베르뉴 지방의 성당들과 같은 프랑스의 많은 성당에서 이런 랜턴탑을 볼 수 있다. 에스파냐 프로미스타의 산마르틴데투르스 성당은 익랑이 거의 없다고 할 만큼 짧은데도 교차랑 위에 랜턴탑을 크게 지어놓았다. 밖에서 보면 성당의 규모를 커 보이게 하기 때문에 그렇게 큰 랜턴탑을 세웠을 것이다. 아주 작은 성당에는 익랑이나 교차랑이 없다.

중세의 일상과 종교 생활의 중심이 된 종탑

　　　종탑도 로마네스크 건축의 중요한 한 부분이다. 교회의 종교생활이나 성당을 둘러싼 지역의 일상생활이 규칙적인 종소리에 따라 운영되었기 때문에 로마 시대의 바실리카에는 없던 종탑이 세워지게 된 것이다. 종탑은 대개 성당 건물에 비해 매우 높은데, 종소리가 멀리까지 퍼지게 하려는 이유에서다. 그러나 종탑이 높으면 아무래도 성당을 웅장하게 보이게도 하기 때문에 필요 이상으로 높게 지어지는 경우가 많았을 것이다. 높고 큰 건물이 없었던 중세에 높이 솟은 종탑은 일상생활에서 마을 사람들의 신앙심을 고취하는 상징적인 구조였을 것이다.

　　　프랑스 서부의 많은 종탑들은 성당 전체에 비해 상당히 크다는 인상을 준다. 올네 생피에르 성당Église Saint-Pierre d'Aulnay과 리세르 생드니 성당이 그 한 예다. 리세르 생드니 성당은 작지만 의외로 익랑과 교차랑이 있고, 교차랑에는 랜턴탑 대신 종탑이 세워져 있다. 그것이 성당 전체에 비해 다소 크다 싶었는데, 성당 앞에 있는 설명에 따르면 나중에 지어진 큰 종탑은 성당 전체와 비율이 잘 맞지 않아서 교구 사람들이 좋아하지 않았다(28쪽 사진 참조).

규모가 큰 성당들은 주 출입구 양쪽에 탑을 두고 있는 경우가 많다. 대개는 배랑의 일부로 지어진 것인데, 앞서 설명한 것처럼 독일의 성당에서 그 예를 많이 찾아볼 수 있다. 프랑스의 유명한 순례성당들은 대개 이 출입구 부분에 두 개의 종탑을 두고 있다(62쪽 산티아고 데콤포스텔라 대성당 평면도 참조).

고딕 양식에 이르면 이 종탑들이 어마어마하게 크고 높아진다. 파리 노트르담 대성당이 그 좋은 예다. 노르망디의 성당들은 독일과 가까웠던 데다 노르망디 영주의 세력이 1092년에 영국을 점령할 정도로 강력했기 때문에 12세기 중반에 새로 일어나던 고딕 양식의 영향을 많이 받았다. 노르망디의 캉에는 윌리엄 1세William I 1028경~87가 지은 캉 생테티엔 수도원Abbaye Saint-Étienne de Caen과 그의 아내 마틸드Mathilde de Flandre 1031경~83가 지은 캉 수녀원이 있다. 수도원과 수녀원의 두 성당은 내부의 경우 후진을 제외하면 로마네스크 양식의 전형을 보여주고 있는데도, 주 출입구는 고딕 양식의 영향을 많이 받았다. 수도원 성당의 두 탑은 어색할 만큼 높고, 수녀원 성당의 종탑은 그만큼 높지는 않지만 크고도 육중하게 주 출입구를 지배하고 있다.

이탈리아에서 종탑은 '캄파닐레'campanile라고 부르는데, 긴 상자형이나 원통형이 주를 이룬다. 앞서 보았던 밀라노의 산탐브로조 성당의 종탑은 긴 상자형이다(65쪽 사진 참조).

독립적으로 서 있는 종탑은 성당 본 건물과 떨어져 있거나 그 옆에 붙어 지어진다.

옆에 붙여 지어진 종탑은 성당에 비해 어울리지 않게 높고 크다는 인상을 줄 때가 많다. 이탈리아의 영향을 많이 받은 에스파냐 카탈루냐 지방 산지의 타울 산클레멘테 성당Iglesia de San Clemente de Tahull의 종탑은 작은 성당 건물과 대조되어서인지 유난히 높아 보인다.

원통형 캄파닐레로 가장 유명한 것은 피사 대성당의 기울어진 탑 '피사의 사탑'이다. 피사의 사탑은 대성당의 주 출입구의 윗면과 똑같이 외면이 작은 아케이드의 층으로 구성되어 있어 아름답다. 수많은 이탈리아 성당을 방문했지만 같거나 비슷한 종탑을 본 적이 없는 것을 고려하면 피사의 사탑은 기울어진 것보다는 그 독특함과 아름다움이 더 알려져야 하지 않을까 하는 생각이 든다.

예배의식의 핵심, 머리 부분

가톨릭에서 성찬식은 다른 어떤 예배의식보다 중요하기 때문에 성당에서 이에 관계되는 부분은 더 넓고 복잡해졌다. 그 대표적인 예가 미사가 진행되는 성당의 머리 부분이다. 성경에 그리스도는 동쪽에서 온다는 예언이 있기 때문에 가톨릭 성당은 머리 부분이 항상 동쪽을 향하도록 지어진다.

앞에서 본 바와 같이 익랑을 첨가하면서 성당 평면을 십자가 형태로 만들면 후진이 뒤로 물러나면서 교차랑 뒤의 머리 부분에 더 많은 공간이 생긴다. 또한 익랑을 두는 대신 중앙에 후진을 두고 양 측랑이 끝나는 곳에 각각 하나씩 두 개의 후진을 더한 예가 많은데, 아마

타울 산클레멘테
성당의 종탑
에스파냐 | 발데보이

성당 본 건물 옆에 붙어
있는 종탑이 성당에 어
울리지 않게 높고 크다.

피사 대성당의
종탑인 피사의 사탑
이탈리아 | 피사

원통형 캄파닐레로 가
장 유명한 것으로 대성
당 주 출입구와 똑같은
아케이드 층으로 구성
되어 있는 아름다운 종
탑이다.

생길렘르데제르 성당(위)
프랑스 | 생길렘르데제르

모데나 대성당의 세 개의
후진(아래)
이탈리아 | 모데나

후진이 세 개 있는
성당의 외관이 아름답다.

유럽에서 가장 많이 볼 수 있는 구조가 아닌가 싶다. 그런데 부가된 후진은 중앙의 후진보다 작아 밖에서 보면 큰 원통을 중앙에 두고 양옆에 작은 원통들이 붙어 균형을 이루고 있기 때문에 그 모습이 조화롭고 아름답다.

작은 성당으로는 프랑스 부르고뉴 지방의 샤페즈 생마르탱 성당Église Saint-Martin de Chapaize(85쪽 사진 참조)이, 큰 성당으로는 이탈리아 모데나 대성당Duomo di Modena이 특히 이 구조가 아름다웠다. 프랑스의 리셰르 생드니 성당, 탈몽 생트라드공드 성당(42쪽 사진 참조), 생길렘르데제르 성당, 이탈리아의 트라니 대성당(43쪽 사진 참조)도 후진을 세 개 두고 있는 성당들이다. 그중 트라니 대성당의 후진들은 유난히 크고 높은 익랑에 압도되어 장식적으로 보이는데, 사실상 이 공간들은 제실로 기능하고 있지 않다.

또한 후진을 둘러싸며 둥글게 휘어진 회랑인 '주보랑'周步廊, ambulatory과 주보랑을 돌아가며 성물이나 석관, 제단을 놓아두는 작은 '제실'祭室, apse chapel을 첨가하기도 했다. 이러한 구조는 순례성당에 특히 유용했다. 순례자들이 미사를 방해하지 않고 주보랑을 통해 제실에 들어가 성물 가까이에서 기도를 드릴 수 있었기 때문이다. 제실은 익랑의 동쪽에도 덧붙여졌다. 이렇게 덧붙여진 공간 때문에 성당의 머리 부분은 상당히 복잡해졌지만 건축 미학적으로는 뛰어난 구성을 보여준다. 후진에서 주보랑으로, 주보랑에서 제실로 갈수록 반원형의 지붕이 규모가 작아지고 낮아지면서 밑으로 갈수록 넓게 펼쳐지도록 구성되어 있어 그 모습이 마치 분수 물이 계단을 타고 내려오는 듯하다. 공간을 많이 덧붙일 필요가 없는 성당에서도 이런 구성을 채택하고 있는 예가 많은 것을 보면 그 미적 효과가 많은 사람들을 만족시켰던 듯하다.

파레이르모니알
사크레쾨르 성당의 슈베
프랑스 | 파레이르모니알

이제는 파괴되어 없는
클뤼니 수도원 성당을 소규
모로 모방하여 지은 성당이
다(오른쪽 도해는 클뤼니 수
도원 세 번째 성당의 복원도).

이수아르 생토트르무안
성당의 슈베
프랑스 | 이수아르

복잡한 슈베가 랜턴탑
밑의 직육면체 같은 구
조로 더 복잡해졌다.

954년 지어지기 시작한 클뤼니 수도원의 두 번째 성당Cluny II이 이미 이러한 구성을 보였고, 그 영향을 받은 수많은 프랑스 성당들이 뒤를 따랐다. 이런 구성은 성행해 가리키는 용어가 따로 있을 정도였는데, '슈베chevet'라고 했다. '슈베'는 프랑스어로 침대 같은 가구의 머리를 뜻한다. 클뤼니 수도원의 세 번째 성당은 이 머리 부분이 복잡하고 화려하기로 유명했다. 여기 소개한 도해는 역사적 기록을 바탕으로 그려진 것이다. 길이와 높이가 다른 익랑이 두 개 있어 교차랑도 두 개이고, 각 익랑과 교차랑 위에 탑 네 개, 배랑 위에 탑 두 개로 총 여섯 개의 탑이 있으며, 제실은 열다섯 개나 된다! 그런데 자세히 살펴보면 제일 크고 높아 중심이 되는 랜턴탑에서부터 지붕이나 탑의 형태가 크기와 높이를 달리하면서 차례로 내려와 정돈되어 있기 때문에 구성이 상당히 복잡해도 그다지 혼란스러운 인상을 주지 않는다. 클뤼니 수도원이 예배의식이 길 뿐만 아니라 예배의 모든 과정에서 장엄한 미적 효과를 추구했다는 사실을 감안하면 이 복잡하고 세련된 구조의 면모는 내적 기능을 여실히 표현해낸 결과물이라고 할 수 있다. 클뤼니 수도원 근처에 있는 파레이르모니알 사크레쾨르 성당은 이러한 구조를 소규모로 모방하고 있어, 클뤼니 수도원 성당이 실제로는 어땠을지 조금은 느껴볼 수 있게 해준다.

오베르뉴의 성당들도 머리 부분이 복잡한 것으로 유명하다. 이 지방의 거의 모든 성당은 직육면체의 구조가 익랑 위로 한 단계 더 높게 랜턴탑을 받치도록 되어 있다. 이 직육면체 구조는 내부에서 벽으로 보강되어 있기 때문에 더 높고 큰 랜턴탑을 세울 수 있게 하는 동시에 슈베의 조형 효과를 높여주기도 한다. 이수아르 생토트르무안 성당 뿐만 아니라 브리우드, 오르시발, 클레르몽-페랑 등 오베르뉴 지방의 다른 성당들은 모두 이와 비슷한 구조로 되어 있다.

시토회 수도원은 클뤼니 수도원의 사치와 화려함에 대항해 설립된 수도원이다. 따라서 시토회 수도원 성당들은 퐁트네 수도원Abbaye de Fontenay 성당처럼 이 동쪽 머리 부분이 직각으로 단순하게 처리되거나 르토로네 수도원Abbaye du Thoronet 성당이나 세낭크 노트르담 수도원Abbaye Notre-Dame de Sénanque 성당처럼 삼위일체를 상징하여 후진을 세 개만 두고 있다.

신성한 대칭, 아치와 아케이드

로마네스크 성당의 조형적 요소 중 가장 중요한 것이 아치와 아케이드이다. 아치와 아케이드는 외부보다는 실내에서 더 많이 볼 수있는 조형요소이지만, 로마네스크 건축을 이해하는 데 꼭 필요하기 때문에 성당의 실내로 들어가기 전이지만 먼저 알아두는 것이 좋겠다.

아치arch는 뚫린 부분의 상부 하중을 지탱하기 위하여 활이나 무지개같이 한가운데는 높고 길게 굽은 형상으로 만든 구조물이고, 아케이드arcade는 이런 아치가 줄지어 선 기둥 위에 연속되어 있는 것을 말한다. 아치는 로마 시대의 직접적인 유산이다. 아치를 고안해낸 것은 로마인이 아니지만 아치의 원리를 사용해서 실내공간을 극적으로 넓힌 것은 로마인의 뛰어난 업적이다. 아치는 여러 종류가 있지만 로마네스크 건축에는 반원형 아치가 쓰였다.

고대부터 문을 만들거나 넓은 공간을 트이게 구성할 때 기둥과 상인방이 쓰였다. 두 개의 기둥 사이에 한 개의 상인방을 얹는 가장 단순한 이 형식은 그리스나 이집트의 신전에서부터 나타난다. 원주 기둥은 원통형으로 깎은 돌을 차곡차곡 쌓고 돌들 사이를 쇠막대기로

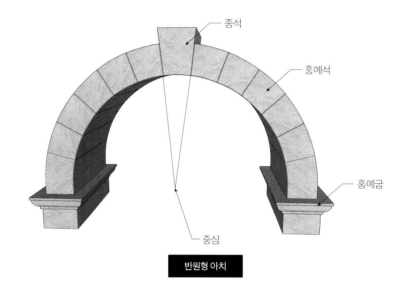

종석

홍예석

홍예굽

중심

반원형 아치

보강하는 식으로 만들었지만 기둥과 기둥 사이의 상인방은 이음새가 없는 하나의 돌로 된 기둥을 써야 했다. 그런데 돌이라는 건축재료는 위에서 내려오는 무게를 옆으로 분산시키는 힘인 장력tension이 약해서 일정 길이를 넘어서면 쉽게 부러지기 때문에 기둥과 기둥 사이의 폭을 넓히는 데에는 한계가 있다. 그래서 그리스의 파르테논 신전에는 기둥의 숲이라고 할 정도로 기둥이 많고, 이집트의 신전도 마찬가지다.

아치의 경우는 무게의 전도가 이와는 다른 식으로 이루어진다. 아치는 나무로 된 반원형의 받침틀 위에 양쪽 가장자리부터 돌을 놓은 다음 중앙의 정점에 마지막 돌을 끼워 넣는 방식으로 완성된다. 마지막에 끼워 넣는 돌은 아치를 세우는 데 있어 핵심이 되기 때문에 '종석'keystone이라고 부른다. 물론 돌들 사이사이에 모르타르를 바르기도 하지만 아치가 완성된 후 받침틀을 제거해도 쉽게 무너지지 않는 것은 돌들이 서로 옆으로 미는 압력 덕분이다.

아치는 상인방에서처럼 하나의 긴 돌을 필요로 하지 않기에 재료 조달이 쉽고, 위에서 내려오는 무게도 아치의 둥근 형태를 따라 분산되기 때문에 기둥 사이의 폭도 상당히 넓힐 수가 있다. 그러나 위에서 오는 무게가 너무 크면 아치 양옆의 돌들이 바깥쪽으로 빠져나갈 수도 있는데, 이런 건축공학적인 문제를 잘 해결한 예가 로마 시대의 개선문이다. 개선문에는 아치의 공간 양옆과 위에 상당히 넓고 육중한 벽이 설치되어 있는데, 아치의 공학적 약점을 훌륭히 보강할 뿐만 아니라 보기에도 웅장하다.

아케이드의 경우 아치를 이루고 있는 돌들처럼 각각의 아치가 서로 밀고 있기 때문에 무거운 벽이 없이도 잘 서 있을 수 있다. 물론 아케이드의 가장 끝에 있는 아치 옆으로는 받침벽이 필요하다. 기독교인들은 초기부터 회당의 주랑에 아케이드를 이용했다. 61쪽에 소개한 성베드로 바실리카 구조도를 자세히 보면 신랑과 측랑 사이의 주랑은 전형적인 기둥-상인방 구조가 반복되며 줄기둥을 이루고 있지만, 안쪽 측랑과 바깥쪽 측랑 사이는 아케이드로 되어 있는 것을 알 수 있다.

로마 시대 바실리카의 주랑이 기둥-상인방 구조인 것과 달리, 초기 기독교 회당의 경우 아치와 아케이드가 주를 이룬 데는 기능뿐 아니라 상징적 이유도 크게 작용했다. 원은 그 완전한 대칭으로 신성함을 상징할 수 있기 때문에 반원의 형태를 지닌 아치와 아케이드는 기독교 시대에 이르러 로마 시대의 문화에는 없던 새로운 의미를 갖게 되었고, 로마네스크 성당에서 가장 중요한 요소가 되었다. 후진이나 제실 모두 반구 모양의 천장과 원통 모양의 벽면으로 이뤄진 것도 같은 이유에서다.

**생사뱅 수도원 성당
벽면의 막힌 아치(위)**
프랑스 | 생사뱅쉬르가르탕프

뒷벽의 막힌 아치는 빈 벽에
조형성을 부여하면서 교차형
측랑 천장의 아치들과 조화
를 이룬다.

**멜 생틸레르 성당 옆문
윗벽의 막힌 아치(아래)**
프랑스 | 멜

막힌 아치는 휑하니 비어 보
일 벽의 공간을 채워주는 동
시에 벽의 두께를 줄이면서
도 약하지 않게 해주는 훌륭
한 조형물이다.

그러나 내가 강조하고 싶은 것은 로마네스크 건축가들은 로마의 건축가들과 달리 아치가 가진 디자인의 가능성을 발견하고 그것을 최대한으로 이용했다는 점이다. 내가 관찰한 바로는 로마의 아치는 주로 건축공학적으로 쓰였지만 로마네스크 성당에서는 그것을 하나의 조형요소로 간주하고 다양한 크기로 끝없이 반복함으로써 성당 전체를 시각적으로 통일했다. 성당 내부에서는 후진이나 제실뿐만이 아니라 반원형 궁륭穹窿, vault, 1층과 2층의 아케이드, 문과 창문에서 아치를 볼 수 있다. 로마네스크 건축가들은 여기서 한 걸음 더 나아가 '막힌 아치'blind arch를 로마 건축가들과는 비교도 되지 않을 만큼 능숙하게 이용함으로써 디자인을 풍부하게 만들었다.

실내에는 2층의 갤러리에 막힌 아치가 많다. 2층의 갤러리는 1층보다 층고가 낮고 대개 1층 아치 하나에 해당하는 폭에 두세 개의 열린 아치를 두는데, 이 두세 개의 열린 아치는 한두 개의 막힌 아치로 둘러싸여 있는 경우가 많다. 큰 형태가 작은 형태들을 감싸 안는 이런 계층적 구조는 그렇지 않으면 산만해 보일 요소들을 단정하게 묶어주어 시각적 피로를 덜어주는 역할을 한다.

또 다른 예는 막힌 아치를 벽의 일부로 만드는 것이다. 이렇게 하면 아치 바로 밑의 벽에 무게가 덜 가기 때문에 그 부분의 벽을 얇게 만들 수 있을 뿐만 아니라, 벽에 디자인을 도입할 수도 있다. 이렇듯 휑하니 비어 보일 벽의 공간을 채워주고, 벽의 두께를 줄이면서도 약하지 않게 해주기 때문에 막힌 아치는 조형적인 처리가 필요한 곳에 많이 쓰였다. 프랑스 생사뱅 수도원 성당의 벽, 멜 생틸레르 성당Église Saint-Hilaire de Melle 옆문의 윗벽, 콩크 생트포이 수도원 성당의 제실에서 이런 방식으로 사용된 막힌 아치를 볼 수 있다.

콩크 생트포이 수도원
성당
제실의 막힌 아치
프랑스 | 콩크

막힌 아치가 아늑하고
소박한 공간감을 연출하
고 있다.

샤페즈 생마르탱 성당
처마 밑의 롬바르드 아치
프랑스 | 샤페즈

지붕 처마 밑에 작게 나
열되어 있는 롬바르드
아치는 아래 창문의 큰
아치와 더불어 통일감
을 줄 뿐만 아니라 크기
의 대조로 매력적인 구
성을 이룬다.

건물 외부에 쓰인 막힌 아치로는 '롬바르드 부조'의 일종이 '롬바르드 아치'가 디자인에 큰 역할을 한다. 이것은 벽이나 처마 밑에 나열되어 있는 아주 작은 막힌 아치들을 말한다. 프랑스 샤페즈 생마르탱 성당의 후진 처마 밑은 물론 생마르탱드롱드르 생마르탱 성당(30쪽 사진 참조), 에스파냐 바루에라 산펠릭스 성당(32쪽 사진 참조)과 타울 산클레멘테 성당(72쪽 사진 참조), 이탈리아 밀라노의 산탐브로조 성당(65쪽 사진 참조)과 모데나 성당(74쪽 사진 참조) 등 '롬바르드 아치'는 로마네스크 성당이라면 흔히 발견할 수 있는 요소다. 그 외의 막힌 아치 또한 크기를 달리하면서 로마네스크 성당의 내외부 벽에 장식성과 구조성을 더한다.

기능성과 미적 효과가 탁월한 버팀벽

'버팀벽'buttress은 벽체를 지탱하기 위해 바깥벽에 기둥 같은 형태로 덧붙여지는 벽인데, 이 역시 천장이 나무로 되어 있던 초기 기독교 회당에서는 잘 볼 수 없었던 로마네스크 건축의 한 요소다. 로마네스크 성당은 천장이 돌로 되어 있어 무겁기 때문에 벽을 두껍게 하여 천장을 받쳐주고 하중이 집중되는 곳에는 버팀벽을 덧붙여야 했다.

로마네스크 성당의 버팀벽은 이렇듯 기능적인 이유에서 첨가되었지만 건물 외관의 조형미를 높이는 데도 중요한 역할을 한다. 주로 내부 기둥이 있는 부분에 설치되는 버팀벽은 내부 구조를 명료하게 드러내며, 아무것도 없었다면 허전했을 바깥벽에 리듬감을 준다. 또한

탈몽 생트라드공드
성당의 둥근
버팀벽(위)
프랑스 | 탈몽쉬르지롱드

후진 벽의 버팀벽은 장
식적으로 쓰였는지 기
능적으로 쓰였는지 가
늠하기가 어렵다.

샤페즈 생마르탱
성당의 각진
버팀벽(아래)
프랑스 | 샤페즈

남쪽 버팀벽의 작은 '지
붕'들은 그 위의 본 지
붕과 똑같은 재료로 덮
여 있어 색다른 매력을
준다.

평면 벽에는 각진 버팀벽을, 후진이나 제실같이 둥근 면을 이루고 있는 곳에는 반원주의 버팀벽을 두는 식으로 해서 벽과 버팀벽이 조화를 이루게 하고 있는데, 버팀벽을 덧붙인 이유가 건축공학적인 것인지 아니면 장식적인 것인지 구분하기 어려운 경우가 많다.

프랑스의 탈몽 생트라드공드 성당이 그 대표적인 예다. 세 개의 후진에는 반원주로 된 버팀벽들이 규칙적으로 배열되어 있다. 이 버팀벽들은 과연 장식적인 것일까, 기능적인 것일까? 사이사이의 막힌 아치가 벽의 하중을 양쪽으로 전도하는 곳에 설치되었기 때문에 기능적으로 쓰였다고 할 수 있다. 그러나 바로 밑에 있는 커다란 막힌 아치들의 구조적 기능을 모른다면 이 버팀벽들이 장식적으로 쓰였다고 생각하기 쉽다. 반원주로 된 버팀벽들이 후진의 둥근 면과 조화를 이루고 있는 데다 처마 밑의 막힌 아치들은 장식적으로 쓰인 것 같기 때문이다.

샤페즈 생마르탱 성당 버팀벽도 인상적이었다. 샤페즈 생마르탱 성당은 규모가 작아서 창문에는 따로 장식이 없지만, 버팀벽의 각진 부피감이 평면적인 둥근 창과 대조를 이루고 채광층 벽면에 버팀벽이 같은 형태로 반복되어 있어 조화를 이룬다. 무엇보다도 창문, 버팀벽, 벽 사이 간격의 비율이 좋아서 참으로 아름다웠다. 또한 지붕 바로 밑에 위치한 버팀벽의 제일 윗부분은 지붕과 같은 각도의 사면을 이루며 지붕과 똑같은 재료로 덮여 있어 색다른 매력을 준다.

참고로 고딕 양식의 성당에는 벽체와 완전히 분리된 '공중버팀벽'flying buttress이 첨가되는데, 이것은 첨형 아치와 함께 고딕 양식의 가장 중요한 공학적 발명이라고 할 수 있다. 로마네스크 성당에서는 천장의 무게가 벽으로 그대로 타고 내려오는 반면에, 고딕 성당에서

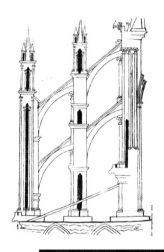

랜스 노트르담 대성당Cathedrale Notre-Dame de Reims의 공중버팀벽

는 사선으로 된 공중버팀벽을 통해 밖으로 내보내져서 밑에 있는 버팀벽을 타고 내려오게 되어 있다. 그러므로 원래의 벽은 하중을 많이 받지 않기 때문에 창문도 크게 낼 수 있고 천장도 높일 수 있어 고딕 성당의 내부는 밝고 높다.

하지만 건물 외부에 무게를 감당하는 구조가 많이 설치되어야 했기 때문에 건물 외관은 복잡하고 혼란스러워졌다고 생각한다. 우선 사선으로 내려오는 뼈대 같은 공중버팀벽들을 조형적으로 조화롭게 본 건물에 융합시키는 것이 어렵다. 또한 공중버팀벽은 그 밑의 '지상에 있는' 버팀벽으로 연결되어 하중을 전도하기 때문에 구성은 더욱 복잡해질 수밖에 없었다. 우선 버팀벽이 측랑 외벽으로부터 많이 돌출되어 나와야 하고 공중버팀벽의 사선이 끝나는 곳까지 높아져야 하는 한편, 개선문의 예에서 보았듯이 이 버팀벽은 무거워야 제 구실을 한

실바칸 수도원
성당의 파사드(위)
프랑스 | 라로크당테롱

산타본디오 성당의
파사드(아래)
이탈리아 | 코모

높은 신랑과 낮은 측랑
에 따라 수직 분할한 구
성은 단순하면서도 위
엄을 느끼게 해준다.

다. 그래서 고딕 성당의 옆면이나 후진의 외면은 돌탑의 숲 같은 인상을 준다. 거기에 버팀벽의 무게를 더하기 위해 '피너클'pinnacle이라는 뾰족탑이 수없이 많이 설치되어 복잡성은 더 가중된다.

이탈리아 사람들은 고딕 양식이 아름답지 못하다고 생각했다. 그래서인지 이탈리아 고딕 양식의 성당은 프랑스에서처럼 극단적으로 높지 않을 뿐 아니라 공중버팀벽도 거의 설치되지 않았다.

로마네스크 성당의 얼굴, 파사드

성찬식을 비롯해 예배의식의 주 무대가 되는 동쪽의 머리 부분이 조형적으로 세심히 구성된 것만큼이나 성당의 주 출입구가 있는 서쪽 '파사드'façade도 장식이 집중되어 있는 곳이다. 파사드는 주 출입구로 이용되는 정면 외벽 부분을 가리키는데, 신도들에게는 성당의 얼굴과 같다.

로마네스크 성당의 파사드에는 대개 세 개의 입구가 있는데, 신랑과 측랑의 비율에 맞게 중앙의 문이 양쪽의 문보다 큰 경우가 대부분이다. 또한 대개 문 위의 벽면에는 1~3개의 창이 나 있는데, 창의 형태, 크기, 위치는 빛이 내부에 얼마만큼 필요한지, 파사드의 전체적 구성에 어떤 효과를 낼지 감안하여 결정되었을 것이다.

흥미롭게도 유럽 전체를 볼 때 파사드 장식은 머리 부분의 경우와는 비교가 되지

아를 생트로핌
대성당의 파사드
프랑스 | 아를

포르티코가 다른 성당보
다 훨씬 클 뿐 아니라 인
물상을 포함하여 조각이
많기로 유명한 성당이다.

않을 정도로 다양하다. 파사드는 지붕이나 천장의 무게를 직접 받지 않을 뿐만 아니라, 머리 부분같이 예배에 직접 관여되는 부분도 아니므로 건축가에게 더 많은 자유가 주어졌을 것이다. 그런 만큼 파사드를 어떻게 구성하는가는 건축가에게 큰 도전이었을 것이다. 이런 이유로 파사드가 조형적으로 우수하지 못한 예가 적지 않다.

파사드의 가장 자연스러운 구성은 높은 신랑과 양옆의 낮은 측랑에 따라 수직으로 삼분하는 것이었다. 단순하면서도 논리적이고 위엄성이 있어서 가장 많이 볼 수 있는 구성이다. 시토회의 실바칸 수도원Abbaye de Silvacane 성당이 전형적인 수직 구성을 보여준다. 장식은 거의 없으나 파사드의 수직 구성 비율이 뛰어나 보기 좋았던 성당이다. 반면에 이탈리아 코모의 산타본디오 성당Basilica di Sant'Abbondio은 네 열의 주랑과 두 외벽이 끝나는 곳에 버팀벽을 설치함으로써 파사드를 다섯 면으로 나누었는데, 단순하지만 비례가 잘 맞는 구성이라 보기가 좋았다. 주 출입구 근처가 구성이 약해 보여 궁금했는데 원래는 포르티코가 있었다고 한다.

이탈리아와 프랑스 남쪽 프로방스 지방에 파사드의 가운데 부분을 출입구에서 돌출시켜 현관으로 강조한 성당이 많다. 이런 부분을 '포르티코'Portico라고 하는데, 삼각형 형태의 지붕과 그 아래 입구의 아치를 원주 기둥들이 받치고 있는 형태다. 이에 대해 학자들은 옛 로마의 직접적인 영향권 안에 있던 곳이라 로마 개선문의 영향을 받은 것으로 추정한다.

모데나나 베로나의 대성당에서 이러한 포르티코를 발견할 수 있다. 이들 대성당에서는 입구 양편에 돌사자가 원주 기둥을 등에 받치고 위엄 있게 입구를 지키고 있다. 이를 중동의 영향이라고 하는 사람도 있지만, 사자는 기독교에서 힘을 상징하므로 성당을 지키는 역할을 기꺼이 맡아서 했을 터이다.

아를 생트로핌 대성당Cathédrale Saint-Trophime d'Arles은 포르티코가 다른 교회보다 훨씬 클 뿐만 아니라 인물상을 포함하여 조각이 많기로 유명하다. 아를이 있는 프로방스 지방이 지금은 프랑스에 속해 있지만 로마네스크 시대에는 이탈리아에 속했던 것을 기억한다면 특이한 형태가 아니다.

이와는 달리 파사드가 수평적으로 나뉘어져 있는 성당도 많다. 가장 유명한 것은 피사 대성당인데, 주 출입구 문의 윗부분을 창문 없이 여러 층으로 나누고 각 층에 원주가 있는 아케이드를 배치했다. 이 아케이드의 뒤편으로 공간이 꽤 있기 때문에 특히 해가 질 무렵에는 원주의 그림자로 인해 조각적인 효과가 강하게 나타난다. 정치적으로 당시 피사의 지배를 받았던 루카의 산마르티노 대성당(53쪽 사진 참조)과 포로 산미켈레 성당Chiesa di San Michele in Foro도 비슷한 형식을 보이는데, 원주 하나하나가 모두 다르게 조각된 것으로 아주 유명하다.

이탈리아 남부의 트로이아 대성당Concattedrale di Troia도 일단은 2층으로 된 수평적인 구성을 보여주지만, 2층은 다시 수직적으로 나누어져 가운데 부분이 강조된 혼합적인 양식을 보여준다. 2층의 중앙은 돌출되어 있을 뿐만 아니라 커다란 원형의 창문이 레이스처럼 조각되어 있다. 창문의 아름다운 기하학적 문양과 창문의 반을 둘러싸고 있는 아치에 새겨진 동물 조각이 원형 창문에 매력을 더해주고 있다. 파사드의 원형 창문은 프랑스나 에스파냐보다는 이탈리아에서 많이 보았는데, 이렇게 정교하고 아름다운 창문을 다른 곳에서는 보지 못했다. 이러한 큰 원형 창은 고딕 양식에 이르면 더 크고 복잡한 장미창으로 발전하게 된다.

프랑스에서 수평적인 구성의 파사드로 유명한 것은 남서쪽 아키텐 지방에 있는 푸아티에 대노트르담 성당Église Notre-Dame la Grande이다. 성당 파사드는 깊은 부조로 완전히 덮

피사 대성당의
파사드
이탈리아 | 피사

파사드가 아케이드로 수
평 분할되어 있는데, 해
가 질 무렵에는 아케이
드 뒤편 공간으로 원주
의 그림자가 드리워져
조각적인 효과가 크다.

**트로이아 대성당의
파사드**
이탈리아 | 트로이아

파사드 2층 중앙의 커다란
원형 창문은 레이스와 같은
조각과 창문을 둘러싼 아치
의 동물 조각으로 무척 아름
답다.

포로 산미켈레
성당의 파사드
이탈리아 | 루카

파사드의 원주 하나하
나가 모두 다르게 조각
된 것으로 유명하다.

97

여 있다시피 했는데, 대성당도 아닌 성당에 왜 비용이 많이 드는 돌조각을 이렇듯 대규모로 설치한 것인지 의아했다. 알고 보니 당시 프랑스 왕국보다 문화가 앞섰던 남쪽의 아키텐 공국의 알리에노르Aliénor d'Aquitaine 1122경~1204 공주가 프랑스의 왕과 이혼하고 영국의 젊은 왕 헨리 2세Henry II of England 1133~89와 재혼하면서 이 영국 왕이 특별히 개입하여 지었다는 역사적 배경이 있었다. 푸아티에 대노트르담 성당은 수평적으로 나눠져 있지만 조각 사이사이에 수직 원주를, 양쪽에는 탑을 배치해 수평성을 상쇄하려고 노력한 흔적이 뚜렷하다. 뾰족한 삼각형의 돌 지붕이 얹혀 있는 기다란 원통형 탑은 이 서부 지역에서만 볼 수 있다.

기독교 교리를 가르치는 교과서, 조각

그리스나 로마 시대에는 독립적으로 서 있는 실물 크기의 사실적 환조가 크게 유행했고 그에 관한 기술도 발달했지만, 중세를 지나면서 모두 사라져버렸다. 대신 중세에는 금속, 보석, 상아 같은 재료로 성경의 겉표지, 제구, 성물함 등을 장식하는 데 조각이 이용되었다.

특히 로마제국의 '변방'이라 할 수 있던 서유럽에서 발달한 조각은 문자를 모르던 일반 대중에게 성경의 이야기나 기독교의 교리를 그림으로 설명하는 것이 그 주된 기능이었으므로 사실적일 필요가 없었다. 중요한 부분을 강조하는 것이 의미 전달에는 더 효과적이었기 때문이다. 이런 이야기나 교리를 보여주기에 가장 적절한 곳은 어디였을까? 바로 성당의 파사드다. 대부분의 성당은 파사드 앞에 큰 광장이 있어 종교적 혹은 비종교적 행사가 많이 진

**푸아티에 대노트르담
성당의 파사드**
프랑스 | 푸아티에

대성당도 아닌데 돌조
각이 빽빽이 설치되어
있는 것이 특이하다.

행되기 때문에 기독교 교리를 주지시키는 데에 이보다 더 나은 장소는 없었을 것이다. 그리하여 발달하게 된 것이 '팀파눔'tympanum 조각이다.

팀파눔은 출입구 바로 위, 아치나 상인방 아래에 위치한 반원형 또는 삼각형의 공간으로 그 장식에 가장 애용되던 주제는 세계의 주재자인 하느님이다. 다른 많은 성당의 팀파눔도 같은 주제를 다루고 있지만 그 묘사가 딱딱하지 않고 생생하기로는 콩크 생트포이 수도원 성당의 팀파눔 조각이 가장 유명하다. 근엄한 심판자인 하느님이 중간에 있고 왼쪽으로는 천국으로 들어가는 영혼들이, 오른쪽으로는 지옥으로 끌려가는 영혼들이 조각되어 있다. 천국으로 가는 행렬은 규칙적이라 차분한 인상을 주는데, 지옥의 장면은 여러 가지 고문의 현장으로 혼란하다. 이제는 많은 사람들이 지옥의 존재를 믿지 않지만 로마네스크 시대의 사람들은 지옥을 철저하게 믿었으므로 이 생생하고 다양한 지옥의 광경들에서 깊은 인상을 받았을 것이다.

신약 복음서를 쓴 네 명의 사도들도 팀파눔 조각의 단골 등장인물이다. 사도들은 각기 다른 상징물로 표현되었다. 당시 사람들은 상징물만 보고도 누가 누군지 다 알았지만, 지금 우리가 팀파눔 조각을 제대로 감상하려면 약간의 지식이 필요하다. 사람은 마태오, 사자는 마르코, 황소는 루가, 독수리는 요한을 상징하는데, 모두「요한의 묵시록」에 등장하는 상징물로서 초기 기독교 시대 이래로 거의 2천 년 동안 종교적 상징물로 널리 쓰였다.

각 상징물이 각 사도를 상징하게 된 단서는 복음서에도 있다.「요한의 복음서」첫 부분에 하느님이 말씀이고 말씀은 빛이 되었다는 내용이 나오는데, 이에 따라 하늘 높이 날아 해(빛)를 대면하는 독수리가 요한의 상징이 되는 식이다. 혹은 속한 세계에서 제일가는 존재들이 각 사도의 상징으로 선택되었다는 해석도 있다. 사람은 하느님의 형상을 따른 지상의 지

콩크 생트포이
수도원 성당의
팀파눔
프랑스 | 콩크

로마네스크 시대의 사
람들은 팀파눔에 새겨
진 이 생생하고 다양한
지옥의 광경에서 깊은
인상을 받았을 것이다.

무아사크 생피에르
수도원 성당의
기둥 조각 예언자
예레미야(왼쪽)와
사도 바울로(오른쪽)
프랑스 | 무아사크

기다란 형태에 뒤틀린
몸짓을 표현해낸 것이
상당히 놀랍다.

아를 생트로핌
대성당의
팀파눔(위)과
아치볼트의 '음악을
연주하는 세 천사'
조각(아래)
프랑스 | 아를

로마네스크의 조각치고
는 꽤 사실적이고 기술
이 뛰어난 조각이다.

배자이고, 사자는 맹수, 황소는 가축, 독수리는 새 중에서 으뜸이기 때문에 선택되었다는 것이다. 네 가지 상징 동물 모두 날개를 가진 것은 (따라서 마태오는 천사) 사도들의 특별하고 신성한 지위를 나타내기 위해서라는 점은 쉽게 짐작할 수 있다.

아치 밑면의 몰딩이나 띠 장식을 '아치볼트'archivolt라고 부르는데, 여기도 조각이 많은 곳이다. 아를 생트로핌 대성당의 아치볼트에는 음악을 연주하는 천사들이 행렬을 이루고 있는데, 제일 윗부분의 세 명의 천사들은 그 동작이 매우 재미있게 표현되어 있어서 흥미로웠다. 로마네스크의 조각치고는 꽤 사실적이고 기술이 뛰어난 조각이다. 무아사크 생피에르 수도원Abbaye Saint-Pierre de Moissac 성당도 파사드 조각으로 유명한 곳이다. '트뤼모'trumeau에 예언자 예레미야와 사도 바울로가 조각되어 있는데, 기다란 형태에 뒤틀린 몸짓을 표현해낸 것이 상당히 놀랍다. 트뤼모는 주 출입구 문이 넓고 클 경우 가운데 부분에 팀파눔을 받치는 두꺼운 돌기둥인데, 이 부분의 조각은 고딕 성당에서 더 발달된 모습을 보인다.

12세기 후반에 성행한 팀파눔 조각은 성경 이야기와 기독교 세계관을 잘 전해준다는 의미에서 중요하기 때문에 로마네스크의 조각을 다룰 때 팀파눔 조각에 초점을 맞추는 미술사 책이 많다. 그러나 여기에만 관심을 기울인다면 로마네스크 조각에 대한 이해는 상당히 협소해진다. 뿐만 아니라 기독교 세계관에 익숙하지 않은 현대인들에게는 그 심각함이 심리적으로 멀게 느껴져 로마네스크 건축을 감상하는 데 오히려 방해가 된다고 생각한다. 그보다는 원주의 머리 부분 조각에서 로마네스크의 예술정신을 더 잘 느낄 수 있다. 원주의 머리 부분 조각은 실내외에서 모두 볼 수 있지만 주랑이 많은 수도원의 안뜰에 특히 많이 모여 있으므로 수도원을 다루는 뒷부분에서 좀더 자세히 살펴볼 것이다.

빛의 원천, 문과 창문

문과 창문은 벽에서 기능적으로 가장 중요하고 그곳으로 들어오는 빛이 큰 상징성을 가지고 있기 때문에 조각 장식이 집중되어 있는 곳이다. 이중, 삼중, 심지어 사중의 아치가 문 혹은 창문 위의 반원을 둘러싸고 있고, 그 아치 하나하나를 기둥들이 떠받치고 있는데, 기둥머리와 받침도 조각으로 장식되어 있다. 아치, 기둥, 기둥머리와 받침, 이 모두가 일종의 문틀이 되는 것이다. 이 '가짜' 문틀들은 계단처럼 점차 안쪽으로 물러나면서 작아져 마침내 '진짜' 문을 만나게 된다. 그런데 로마네스크 성당의 문과 창문은 왜 이런 형태로 디자인되었을까?

한 가지 이유는 순전히 조형미를 고려해서다. 로마네스크 성당은 돌 천장이 무겁기 때문에 문이나 창문을 크게 낼 수가 없다. 그래서 문이나 창이 작을 수밖에 없는데, 창 주위에 장식이 없으면 넓은 벽면과 대비되어 시각적으로 매우 허약하게 보이기 때문에 조형적으로 바람직하지 않다. 사실 이런 장식 덕분에 문과 창문은 훨씬 크고 중요해 보인다. 에스파냐의 산티야나델마르 성당Colegiata de Santillana del Mar 후진의 창문은 여섯 겹으로 되어 있어 그 극단적인 예를 보여준다. 프랑스의 올네 생피에르 성당, 이탈리아 코모의 산타본디오 성당의 후진 창문은 섬세하고 아름다운 조각으로 둘러싸여 있다.

두 번째 이유는 미적이기보다는 기능적인 것으로, 벽은 창문이나 문에 비해 무척 두껍기 때문에 창이나 문을 넣으려면 어떤 식으로든 두께를 줄여야 했다. 그래서 '문틀'이 계단과 같은 여러 층으로 구성된 것이다. 그리고 이렇게 벽이 창문과 사선의 각도로 만나지 않으면 그나마 작은 창문으로 들어오는 빛이 두꺼운 벽의 모서리에 차단되고 만다. 그래서 실내의

산티야나델마르 성당의 후진
창문(위 왼쪽)
에스파냐 | 산티야나델마르

올네 생피에르 성당의 후진
창문(위 오른쪽)
프랑스 | 올네

산타본디오 성당의 후진
창문(아래)
이탈리아 | 코모

로마네스크 성당은 돌 천장이 무겁기
때문에 문이나 창문을 크게 낼 수가
없다. 그래서 문이나 창이 작을 수밖
에 없는데, 주위에 장식을 넣어 훨씬
크고 중요해 보이게 했다.

창문을 둘러싼 벽도 점점 작아지는 가짜 문틀들을 두거나 창문과 사선의 각도로 만나게 하고 있다.

이런 기능적이고도 장식적인 처리는 창문보다는 출입문에서 훨씬 더 복잡하고 다중적으로 처리되어 있는 경우가 많다. 주 출입구는 신도들이 드나들며 가장 많이 접하는 곳이기 때문에 문틀에 조각이 가장 많이 설치된다. 주 출입구는 익랑이 끝나는 곳이나 그 외의 옆쪽에 나는 경우도 많다. 성당은 동서로 길게 배치되어야 하기 때문에 성당이 들어설 대지가 서쪽 면을 주 출입구로 쓰기 불편할 때에는 옆쪽 입구가 주 출입구 구실을 할 수밖에 없다. 따라서 그쪽 문의 문틀들도 장식이 많이 되어 있다. 올네 생피에르 성당의 아치 문틀은 네 단계의 조각 띠가 매우 섬세하기로 유명하다.

**올네 생피에르 성당의
아치 문틀**
프랑스 | 올네

아치 문틀의 네 단계 조각
띠가 섬세하기로 유명한 성
당이다.

108

3.

성찬의 장소

로마네스크 성당에 들어가면 우리의 관심은 자연스럽게 동쪽 머리 부분에 쏠린다. 가장 밝고 여러 가지 성구들로 장식되어 있어 그곳이 예배의 중심임을 곧바로 알아차리게 된다. 머리 부분에서 제일 중요한 것은 후진이다.

기독교 제례의 핵심, 후진과 내진

후진을 뜻하는 영어 단어 '앱스apse'가 아치를 뜻하는 그리스어 '압시스apsis'에서 유래된 것에서 알 수 있듯이 후진은 원통을 수직으로 반 자른 듯 벽에서 둥글게 안쪽으로 들어간 공간에 반구형의 공간이 얹혀진 구조를 취하고 있다. 이 구조는 로마의 바실리카에 있던 것으로서 앞서 말한 것처럼 공회당에서 행정적 혹은 사법적 행사가 있을 때 행사를 관장하는 주재자가 높이 앉아 사방을 둘러보도록 되어 있는 공간이었다.

움푹 들어간 공간은 시각적으로 평평한 벽과 강하게 대비되기 때문에 보는 이의 시선을 곧바로 사로잡는다. 구와 원은 중심으로부터 모든 방향으로 대칭을 이룸으로써 시각적으로 만족감을 주고, 모든 기하학적 도형 중에 가장 완전한 것으로 여겨지기 때문에 초기 기독교 시대 때부터 상징적으로 중요하게 여겨졌다는 것은 이미 언급되었다. 초기 기독교 회당 산타사비나 성당의 후진을 보면 이 공간이 얼마나 중요하게 취급되었는지 알 수 있다. 동로마가 콘스탄티노플에서 비잔틴 성당의 전통을 세워갈 때 돔을 선호한 것도 똑같은 이유에서였을 것이다. 그렇기 때문에 후진은 기독교가 바실리카를 모델로 성당을 짓기 시작할 때 그대로 모

아벤티노 산타사비나
성당의 내부
이탈리아 | 로마

초기 기독교 회당의 후
진을 보면 이 공간이 얼
마나 중요하게 취급되
었는지 알 수 있다.

발데디오스
산살바도르 성당의
후진
에스파냐 | 발데디오스

초기에 지어진 에스파
냐 아스투리아스 지방
의 작은 성당들은 후
진의 평면도가 사각형
이다.

방되었을 뿐만 아니라 로마네스크 시대가 끝날 때까지 유지되었다.

평면도가 사각형인 후진이 없는 것은 아니나 매우 드물다. 초기 로마네스크에 지어진 에스파냐 아스투리아스 지방의 작은 성당들은 후진의 평면도가 사각형이다. 그런 성당에는 바실리카의 전통이 없었을 뿐만 아니라 성당이 바실리카처럼 길지도 않다.

로마네스크 성당의 평면이 십자가형으로 된 후부터는 후진뿐 아니라 교차랑, 십자가의 머리 부분이 모두 예배의 중요한 절차에 사용되었다. 이 중 후진과 교차랑 사이의 부분은 '내진內陣'이라고 하는데, 양옆으로 수도사들이 서서 노래하게 되어 있어서 '성가대'choir라고 부르기도 했다. 내진이 성직자와 평신도를 분리하기 위해 일종의 울타리로 둘러싸였을 때는 '성단소'chancel라고 불렸다. 내진에는 예외 없이 예배에서 가장 중요한 '제단'altar이 위치해 있어서 '제단소'라고 불리기도 했다. 제단은 보통 성인의 허리까지 올라오는 높이의 단상인데, 신부가 그 앞에 서서 성찬식을 포함한 미사를 집전한다. 이렇듯 여러 가지로 중요했던 내진과 후진은 바닥에서 몇 계단 높이 지어졌는데, 바로 밑 지하실에 성인의 유골이나 성물을 보관했던 '성골소Crypt가 높이 지어지면 이 부분도 따라서 높아졌다.

예수가 못 박히기 전 사도들과 음식을 나누었던 마지막 만찬을 기억하는 성찬식은 초기 기독교 시대부터 가장 중요한 예식이었다. 예수가 만찬에서 말했던 것처럼 신자들은 빵과 포도주를 함께 나누는데, 가톨릭의 교리에 의하면 이것은 신비롭게도 '실제로' 우리 몸에서 예수의 살과 피로 변한다. 성찬식 때 신도들은 인류를 향한 예수의 희생을 생각하며 감사를 드린다. 이 때문에 성찬식은 '유카리스트Eucharist'라고 불리기도 하는데, '유카리스트'는 '감사'를 뜻하는 그리스어 '유카리스티아'에서 유래한 말이다. 제단은 미사가 진행될 때 빵과 포도주를 담는 그릇과 잔이 놓이는 곳이고 미사가 끝나면 성구를 보관하는 장소로 쓰였다.

지붕이 있는 사각형의 구조가 제단을 보호하듯이 둘러싸고 있는 경우가 있는데, 이것은 고대 유대인의 이동식 예배소인 '성소'tabernacle 개념을 기독교가 받아들여 제단이 있는 곳의 성스러움을 강조하기 위해 만들어진 것이다. 다른 곳에서는 거의 볼 수가 없고 이탈리아의 성당에서만 가끔 볼 수 있었는데, 모든 부분이 마름돌로 되어 있고 섬세하게 장식되어 정성이 들어가 있음을 느낄 수 있다. 여러 성소 중 이탈리아 남부의 바리 산니콜라 성당Basilica di San Nicola Bari의 것이 제일 아름다웠다.

성스러운 후진의 빛

이렇듯 로마네스크 성당들이 공간을 반원형으로 구성하고 제단을 배치하며 후진을 아름답고 성스럽게 보이는 데 공을 들인 이유는 신도들의 이목을 집중시키기 위해서였는데, 빛을 풍성하게 끌어들이는 것도 그런 노력의 하나였다. 빛은 기능적으로나 상징적으로 기독교에서 매우 중요했기 때문에 대개 후진에는 창문이 한 개 이상 나 있어 아침 햇빛이 잘 들어오게 되어 있다.

이를 극적으로 발전시킨 것이 머리 부분의 저 복잡한 구조, 즉 주보랑과 제실이다. 후진과 주보랑의 둥근 회랑 사이는 아케이드로 이루어져 트여 있고, 제실에도 모두 창문이 나 있다. 후진의 천장은 주보랑의 천장보다 높아 그 사이에 있는 벽에 창문이 설치되기도 하고,

바리 산니콜라
성당의 성소
이탈리아 | 바리

분홍빛 대리석 기둥으
로 둘러싸인 사각형의
공간 위에 두 개층의 육
각형 지붕을 작은 원주
들이 받치고 있다. 뒤에
보이는 십자가는 후진
의 유리창에 색유리로
만들어져 있는 것으로
이 구조의 일부분은 아
니다.

보셰르빌 생조르주
수도원 성당의
교차랑 창문
프랑스 |

생마르탱드보셰르빌
교차랑 천장 아래의 사
각형 벽면에 창문을 내
어 빛을 끌어들였다.

제실들 사이의 공간인 주보랑 외벽에 창을 내기도 했다. 콩크 생트포이 수도원 성당의 슈베에는 창문이 19개나 설치되어 있다! 머리 부분의 복합적인 구조를 따른 많은 프랑스의 성당은 의외로 실내가 밝아 로마네스크 성당은 어둡다는 일반적 관념이 항상 옳은 것만은 아니라는 것을 새삼 깨닫게 한다.

반면에 흔히 내부가 밝다고 여겨지는 고딕 성당도 창문에 스테인드글라스가 설치되어 있으면 생각만큼 밝지 않다. 짙고 다채로운 색깔의 유리를 통해 빛이 들어오기 때문에 유리 자체는 아름답게 빛나지만 실내의 조명도는 크게 떨어지기 때문이다. 스테인드글라스로 유명한 고딕 양식의 샤르트르 노트르담 대성당Cathédrale Notre-Dame de Chartres에 들어갔을 때 실내가 뜻밖에 어두워 놀랐던 기억이 난다.

로마네스크 시대의 유리창에도 색이 있었으나 대개는 부드러운 색깔이었으며 창살은 기하학적 문양으로 된 것이 많다. 로마네스크 성당에 찬란한 스테인드글라스 창문이 있다면 그것은 대개 이후 고딕 시대에 설치된 것이라고 간주해도 큰 무리가 없다.

로마네스크 성당에서 또 다른 빛의 근원지는 교차랑의 천장이다. 랜턴탑이라 불린 이 정사각형의 공간에서 천장은 대개 팔각형의 뾰족한 공간으로 마무리되어 있다. 프랑스 보세르빌 생조르주 수도원Abbaye Saint-Georges de Boscherville 성당과 캉 생테티엔 수도원 성당은 사각형의 벽에, 콩크 생트포이 수도원 성당은 팔각형으로 변형된 벽에 창문이 있다.

교차랑이 없는 성당들은 신랑과 후진 사이의 벽에 창문을 설치하여 조명을 더했다. 창문은 대개 원형이나 십자가 형태로 되어 있고, 후진의 창문과 함께 아름다운 구성을 보여준다. 후진의 창문이 성당 내 다른 창문들과 조화를 이루고 있는 시토회의 르토로네 수도원 성당

콩크 생트포이 수도원
성당의 교차랑 창문
프랑스 | 콩크

교차랑 천장 돔의 팔각
형 벽면에 창문을 내어
빛을 끌어들였다.

과 매우 작은 창문이 후진의 육중한 벽과 대조를 이루는 생길렘르데제르 수도원 성당이 인상적이었다.

후진에 빛을 많이 들이기 위해 후진을 허물고 고딕 양식으로 전체를 새로 재건축하는 극단적인 방법이 쓰이기도 했다. 고딕의 뾰족한 첨형 아치는 반원형 아치에 비해 무게가 측면보다는 아래로 많이 전달되기 때문에 창문의 높이와 넓이를 늘릴 수 있을 뿐 아니라 창문을 낸 벽도 그리 두껍지 않게 할 수 있었다. 따라서 색깔이 짙은 스테인드글라스가 설치되어 있지 않다면 고딕 성당의 후진은 놀랄 정도로 밝다. 프랑스의 베즐레 생트마리마들렌 대성당은 그렇게 밝아진 후진으로 아주 인상적이었다. 고딕 양식이 발생한 곳이어서 그런지 프랑스에서 중·대규모의 성당치고 고딕 양식의 후진이 없는 로마네스크 성당은 찾아보기가 힘들다.

비잔틴 문화권의 선물, 모자이크

초기 기독교 시대에 지어진 바실리카형 회당에는 후진이 대개 모자이크로 덮여 있다. 아직도 건재한 로마의 초기 기독교 회당 몇 개를 보면 후진의 모자이크가 무척 세련되었다. 모자이크 자체는 기독교 이전의 로마에서 번성한 기술로서 주로 색깔이 있는 작은 돌조각으로 이미지를 만들어 바닥을 덮는 것이었다. 주로 신화적 인물이나 동물이 사실적으로 묘사되었고, 기하학적 문양들은 단독적으로 쓰이거나 주제가 있는 그림의 가장자리를 장식하는 경우가 많았다. 사물에 빛이 닿는 부분과 어두운 부분 또는 그림자 부분에는 밝기가 다른 돌을

르토로네 수도원
성당의 후진 창문
프랑스 | 르르토로네

후진의 창문이 성당 내
다른 창문들과 조화를
이루고 있다.

생길렘르데제르
성당의 후진 창문
프랑스 |

생길렘르데제르

아주 작은 세 개의 창문
이 후진의 육중한 벽과
대조를 이루고 있다.

베즐레
생트마리마들렌
대성당의 후진
프랑스 | 베즐레

고딕 양식으로 개축된
이 후진은 놀랄 정도로
밝다. 고딕 성당도 짙은
색의 스테인드글라스가
없다면 얼마나 밝을지
이 후진을 보면 짐작할
수 있다.

사용하여 삼차원적인 인상을 주기도 했다.

하지만 나중에 기독교 회당의 벽과 후진을 장식할 때에는 그 기능이 달라졌기 때문에 모자이크의 느낌도 아주 다르다. 신화적 인물이나 동물을 성경의 이야기가 대체한 것은 물론이고, 조각의 경우에서와 같이 더 이상 사실적으로 묘사되지도 않았다.

모자이크의 색채도 대단히 밝아졌는데, 그것은 돌 대신 유리를 구워 사용했기 때문이다. 유리는 구울 때 여러 색을 넣을 수 있었고, 특히 신성함을 상징하는 금빛을 내기 위한 금박도 넣을 수 있었다. 당연히 돌로 만든 로마 모자이크보다 더 발달된 기술이 필요했고 비용도 더 들었다.

로마의 모자이크 기술은 서로마에서는 게르만족의 침입과 수많은 전쟁으로 사라져버렸지만, 동로마에서는 더욱 발전하여 천 년 동안 비잔틴 성당의 실내를 장엄하고 화려하게 장식했다. 특히 6세기 비잔틴제국이 서로마를 다시 쟁탈하기 위한 거점으로 삼았던 라벤나의 산비탈레 성당Basilica di San Vitale의 모자이크는 말로 표현하기 어려울 정도로 장엄하고 아름답다.

따라서 로마네스크 시대에 지어진 성당에 모자이크가 있다면 그것은 대개 비잔틴 문화권의 영향을 받은 것이거나 비잔틴 문화권 모자이크공이 와서 직접 만들었다고 보면 된다. 비잔틴제국과 교역으로 연결되어 있었던 이탈리아의 베네치아와 북쪽 지역, 비잔틴 문화권과 지리적으로 가까웠던 시칠리아의 성당들은 거의 모두 모자이크로 장식되어 있다. 또한 피렌체나 피사 같은 부유한 도시의 성당들도 후진을 모자이크로 장식했다.

이와는 반대로 비잔틴 문화권과 지역적으로 멀리 떨어져 있던 프랑스나 에스파냐

산비탈레 성당의
모자이크
이탈리아 | 라벤나

비잔틴 문화권의 성당으
로서 모자이크가 말로
표현하기 어려울 정도로
장엄하고 아름답다. 로
마네스크 성당의 모자이
크는 대개 비잔틴의 영
향을 받은 결과라고 할
수 있다.

의 성당에서는 모자이크를 찾아볼 수 없다. 이수아르 생토트르무안 성당이나 생넥테르 성당 같은 오베르뉴 지방의 성당에 모자이크 장식이 있기도 하지만 단지 외벽을 장식하는 데 쓰였을 뿐이다.

세월을 견디지 못한 로마네스크 벽화

벽화도 후진을 강조하는 수단이었다. 벽화는 모자이크보다 비용이 덜 들어 선호되었을 것이나 내구성이 부족해 많이 남아 있지 않다. 그나마 남아 있는 벽화는 석회벽 위에 그려진 것이다. 중세에는 마르거나 약간의 습기를 머금은 석회벽에 벽화를 그렸는데, 에스파냐 카탈루냐 지방의 산악 지역 발데보이에 있는 작은 성당들에는 실내를 덮고 있는 벽화가 많이 남아 있다. 팀파눔이나 모자이크와 마찬가지로 벽화도 성경의 이야기와 교리를 전하는 내용을 주로 다루었다.

특히 타울 산클레멘테 성당의 벽화는 그 양식과 세련된 기술로 보아 초빙된 비잔틴 문화권의 화가가 그린 것 같다는 것이 학자들의 추정이다. 그 지역의 다른 성당 벽화들은 아마 이 비잔틴 문화권의 화가가 수련시킨 지방화가들이 그렸을 것으로 보이는데, 그 이유는 기술의 수준에서 차이가 많이 나기 때문이다. 어떤 벽화는 전혀 수련받지 않은 화가가 그렸는지 마치 어린아이가 그린 것 같아 미소를 자아내게 했다.

이 벽화들은 발데보이에 있는 성당들이 아닌 바르셀로나 카탈루냐 미술관에서 볼

**타울 산클레멘테 성당의
벽화**
에스파냐 | 발데보이

그 양식과 세련된 기술로 보
아 초빙된 비잔틴 문화권의
화가가 그린 벽화라는 것이
학자들의 추정이다.

산타본디오 성당의
벽화
이탈리아 | 코모

아주 정교하고 복잡한
구성의 벽화를 볼 수 있
는 몇 안 되는 로마네스
크 성당이다.

수 있다. 발데보이 성당들이 쓰이지 않게 되자 벽화들은 파손을 막기 위해 19세기부터 바르셀로나 카탈루냐 미술관에 옮겨져 보관되고 있기 때문이다.

대개의 로마네스크 성당에서는 아주 정교하고 복잡한 구성의 벽화를 찾기 어려운데, 이탈리아 북쪽에 위치한 코모의 산타본디오 성당 후진의 벽화는 그런 구성을 보여주는 드문 예다. 양식상 로마네스크보다는 고딕에 가까워서 벽화의 제작 시기는 12세기보다는 훨씬 나중일 것이라는 가정을 해본다.

건축, 조각, 그림 등은 그것을 성취하는 기술이 다르고 대하는 시대의 태도도 다르기 때문에 항상 나란히 발전하는 것은 아니다. 건축은 로마네스크에서 큰 발전을 보이지만, 그림은 고딕에서 성숙되었다고 믿기 때문에 로마네스크 건축에는 오히려 고딕 양식의 그림이 어울린다는 생각이 든다. 로마네스크 성당의 후진을 장식하고 있는 고딕 양식의 그림은 벽화보다는 패널화의 형식이 많다.

금빛 환상의 고딕 패널화

패널화는 나무판 위에 계란의 흰자나 노른자와 섞은 물감 '템페라tempera'를 발라 그린 성화로, 벽화나 모자이크보다 제작과 관리가 쉬워서 고딕 시대에 애용되던 방식이었다. 템페라는 상당히 빨리 마르기 때문에 작은 붓으로 여러 번 덧칠하는 기법이 발전하였는데, 그 작은 붓질 때문인지 세부 묘사가 엄청나게 정교하다. 색채도 밝은데, 특히 성인의 후광이나

피에솔레 대성당의
패널화
이탈리아 | 피렌체

어둡고 진지하고 단순
한 로마네스크의 내부
공간에서 금빛으로 빛
나는 패널화가 무척이
나 환상적이다.

성경 이야기의 배경에 금박이 많이 쓰여 화려하다.

피렌체 근처의 피에솔레 대성당Duomo di Fiesole의 패널화나 스폴레토의 산그레고리오마조레 성당Basilica di San Gregorio Maggiore에서 만난 단순한 십자가로 된 예수상이 기억에 남는다. 어둡고 진지하고 단순한 로마네스크의 내부 공간에서 금빛으로 빛나는 패널화가 무척이나 환상적이었다. 그러나 대부분의 고딕 패널화는 각국 미술관의 중세미술실에 전시되어 있어 이런 경험을 하기는 쉽지 않다.

다양한 양식을 보여주는 성상

이탈리아와는 달리 프랑스의 성당에서는 나무로 조각하여 채색한 성상이 후진을 장식하고 있는 경우가 많았다. 아마도 모자이크나 패널화 기술이 뒤떨어진 탓일지도 모르는데, 그나마도 프랑스혁명을 겪고 나서 남아 있는 게 별로 없다.

살아 남아 세월을 견딘 성상들은 클뤼니 수도원장의 파리 저택이었던 클뤼니 중세미술관에 옮겨져 소장되어 있거나 세계 각국의 미술관에 흩어져 있다. 따라서 현대인들이 로마네스크 성당에서 마주하게 되는 성상은 19세기나 20세기에 석고로 만들어져 채색된 것이 대부분이다. 이렇게 만들어진 성상은 그 사실적인 양식으로 보아 로마네스크나 고딕 양식의 것이 아님을 쉽게 알 수 있다.

성모 마리아가 아기 예수를 무릎에 앉히고 정면을 바라보고 있는 형태의 성상이 중

르토로네 수도원
성당의 조각상
프랑스 | 르르토로네
후진의 '지혜의 왕좌' 상
은 실물보다 크고 표현
양식이 엄중하다.

세 말부터 유행하기 시작했는데, 이런 성상은 아기 예수가 보는 사람을 향해 지혜의 근원인 성경을 펼쳐 들고 있기 때문에 '지혜의 왕좌'Sedes Sapientiae라고 불렸다. 르토로네 수도원의 후진에서 만난 지혜의 왕좌는 실물보다 크고 표현 양식이 엄중하여 기억에 많이 남는다. 이런 형태의 성상이 제일 많이 소장되어 있는 곳은 오베르뉴 지방의 성당들인데, 성상이 르토로네 수도원 성당의 성상만큼 크지 않다.

예수가 십자가에 매달린 상도 예상보다 찾기가 어려웠다. 로마네스크 시대에 많이 있었다 해도 다른 성상들과 같은 운명을 겪었을 것이다. 그래서 이탈리아의 산탄티모 수도원 Abbazia di Sant'Antimo 성당의 십자가에 매달린 예수 상을 만났을 때 참으로 반가웠다.

발데보이의 두로 나티비타트 성당Església romànica de la Nativitat de Durro은 발데보이의 어떤 성당보다 검소하고 투박했는데, 작으나마 나 있던 창문을 가리면서 후진 대부분을 차지하고 있던 커다란 성상은 이런 성당의 외관과는 정반대로 복잡하고 화려하고 찬란했다. 돋을새김으로 되어 있는 성상은 양식으로 보아 18세기나 19세기의 것인 듯하지만 그 선명한 색조로 보아 그보다 더 최근의 것일 수도 있다. 나는 로마네스크 성당이 옛 모습을 그대로 간직하고 있기를 바라는 편이지만 이 성당의 경우는 후에 설치된 성상이 이루는 확연한 대조가 오히려 더 매력적으로 느껴졌다.

이러한 변형이 가장 많이 일어난 곳이 제실이다. 제실은 권력과 재력이 있는 가문이 하나를 새로 지어 가문 전용 예배실로 만드는 경우가 많았다. 따라서 로마네스크 성당의 제실들에서 고딕, 르네상스, 바로크 양식 등을 발견하는 것은 드문 일이 아니다.

산탄티모 수도원
성당의 십자가에
매달린 예수상
이탈리아 | 몬탈치노
이 성당은 내부는 매우
소박하나 주보랑의 조
각이 아름답다.

두로 나티비타트
성당의 성상
이탈리아 | 발데보이

작은 창문을 가리면서
후진 대부분을 차지하
고 있는 커다란 성상 부
조 패널은 검소하고 투
박한 성당의 외관과는
정반대로 복잡하고 화
려하고 찬란하다.

로마네스크 성당의 보물창고, 성골소

많은 성당들이 후진과 내진 바로 밑에 지하실을 지어 거기에 성인의 유골이나 성물을 보관했다. 성베드로 대성당처럼 성인의 무덤 위에 세운 성당도 있다. 예배를 드릴 때 성인의 유골을 중시하는 관습은 초기 기독교 시대로 거슬러 올라간다. 당시에는 신자들이 순교자의 묘에 모여 예배를 보았다. 순교자의 죽음이 예수의 십자가 고난을 상기시키기 때문이기도 했지만, 수백 년간 무덤 같은 곳이 아니면 예배를 드릴 수 없을 정도로 박해를 받았기 때문이다. 4세기에 기독교가 공식적으로 인정되고 나아가 로마의 종교가 되어 더 이상 무덤 같은 비밀장소에서 예배를 드리지 않아도 되었지만 오래된 관습은 사라지지 않았다.

성물은 성인의 유골 일부는 물론 성인이 만지거나 사용해 성스럽다고 간주된 모든 물품을 말한다. 따라서 성당에 따라 한 개에서 수십 개까지 보유하고 있는 유물 수의 편차가 컸다. 성물이 이렇게 중요하게 된 이유는 성물 앞에서 드리는 기도는 특별한 효과가 있다고 널리 믿어졌기 때문이다. 성물은 성물함 안에 보관되었는데, 성물함은 대개 금과 은, 그 외 값비싼 재료로 만들어졌을 뿐만 아니라 보석으로 장식되거나 온갖 문양이 새겨져 있는 경우가 많다. 성물함은 성골소에 보관되었고 대개 내진의 둥근 회랑이 시작되는 양편에 성골소로 가는 좁은 계단 입구가 있어서, 순례자들이 한쪽으로 들어가서 성물 앞에서 기도한 후 다른 쪽으로 나올 수 있게 되어 있다.

성골소의 크기는 성당마다 다르지만, 후진, 내진, 주보랑을 합친 영역만큼 넓은 지하실에 있는 경우가 많다. 천장은 낮은 편이고 원주는 1층의 원주가 서 있는 자리에 맞춰 배치되어 있다. 이탈리아의 바리 산니콜라 성당 성골소도 지하에 있긴 하지만 천장이 높고 원주가 수많은 조각으로 장식되어 있다. 게다가 비잔틴 교회의 성자이자 산타클로스의 기원이 된 성 니콜라오St. Nicolas 270경~341경의 유해가 안치되어 있어서 그의 석관 앞에서 정교식 미사가 드려진다. 내가 바리 산니콜라 성당을 방문했을 때 마침 정교 미사가 성골소에서 드려지고 있었다. 정교 미사는 가톨릭 미사보다 더 엄숙하게 진행되는데, 러시아 신부 특유의 깊은 저음의 성가가 성당 전체에 울려 퍼지는 것이 인상 깊었다.

그러나 많은 이탈리아 로마네스크 성당에서 성골소는 1층까지 솟아 있고 후진과 내진은 그 위에 위치하고 있어서 양쪽 계단을 통해 올라가게 되어 있다. 이런 성골소는 천장이 넓고 높을 뿐만 아니라 넓은 계단을 통해 1층에서 직접 들어가게 되어 있으며 예배를 드릴 수 있는 공간도 있다. 모데나 대성당, 피렌체의 산미니아토알몬테 성당, 베로나의 산제노 성당 성골소가 이런 구조로 되어 있는데, 성인의 완전한 유골이 안치되어 있어서인지 보존도 잘되어 있었다. 물론 천 년이 지난 지금도 여전히 성당으로 기능하고 있기 때문이기도 하다.

프랑스에도 유명한 성인들이 있었지만, 이탈리아만큼 많지가 않았고 성물 규모도 작아 성골소가 대체로 이탈리아 것만큼 크지 않다. 그러나 프랑스 서부의 생트 생퇴트로프 성당Basilique Saint-Eutrope de Saintes은 이런 관념을 깨고 나를 놀라게 했다. 성당의 성골소는 이탈리아 성당들처럼 낮은 일층이라고 할 수 있을 정도로 천장이 높고 면적도 넓었다. 성 에우트로피오St. Eutropius 3세기경의 유골이 온전하게 안치되어 있기 때문일 것으로 여겨지는데, 성인의 석관과 특이한 원주머리 조각이 참으로 인상적이었다. 12세기부터는 성물을 지하실에 보관하는 관습이 사라지기 시작하여 지금은 프랑스 성당의 성골소에는 대개 성물이 없다고 한다.

샌트 생퇴트로프
성당의 성골소
석관(위)과 원주머리
조각(아래)
프랑스 | 샌트

성 에우트로피오의 유
골이 온전하게 안치되
어 있는 성골소는 천장
이 높고 면적도 넓었다.
성인의 석관과 특이한
원주머리 조각이 참으
로 인상적이다.

산제노 성당의
성골소
이탈리아 | 베로나

내가 방문한 곳 중 신랑
에서 접근하기가 제일
쉬운 성골소였다. 분홍
빛 베로나 대리석이 쓰
여 분위기가 따뜻하다.

4.

기도의 공간

이 장에서는 성당 안에서 미사의 중심이 되는 동쪽 머리 부분을 제외한 다른 부분들을 살펴보려고 한다. 미사가 진행되고 있지만 않으면 내진과 후진을 제외하고는 자유롭게 배회하면서 곳곳을 자세히 살펴볼 수 있다.

다양한 천장의 아름다움, 신랑

로마네스크 성당에서 후진 다음으로 주목받는 곳은 성당 중심부의 길고 넓은 공간, 성당의 몸체라 할 수 있는 신랑이다. 대부분의 신랑 천장은 후진을 향해 반원형으로 길게 뻗은 궁륭인데, 이를 건축용어로 '원통형 궁륭'barrel vault 혹은 '터널형 궁륭'tunnel vault이라고 한다.

이 둥근 천장은 돌로 된 아치를 옆으로 연속적으로 쌓은 것이라고 생각하면 된다. 천장 전부가 돌로 만들어졌기 때문에 그 무게를 감당하기 위해 벽도 두꺼워야 하고 앞서 본 바와 같이 버팀벽도 필요했다. 이 원통형 궁륭은 원통을 반으로 자른 모양의 나무로 된 받침틀 위에 돌을 놓아서 축조하는데, 받침틀의 길이는 대개 로마네스크 건축의 단위라고 할 수 있는 원주와 원주 사이의 길이와 같다. 그래서 신랑의 천장은 한꺼번에 만들어지는 것이 아니라 한 번에 한 부분씩 만들어진다. 나중에 아치를 밑에 덧붙여 이음새를 보강하는 경우가 많은데, 이를 '횡단아치'transverse arch라고 한다. 수많은 예가 있지만 여기에 소개된 것은 에스파냐 프로미스타의 산마르틴데투르스 성당의 횡단아치이다.

프랑스 서쪽 지방의 가르탕프 강변에 있는 생사뱅 수도원 성당은 가운데 횡단아치

산마르틴데투르스
성당의 횡단아치
에스파냐 | 프로미스타

원통형 궁륭 밑에 아치
를 덧붙여 이음새를 보
강한 횡단아치의 모습
을 볼 수 있다.

생사뱅 수도원
성당의 신랑 천장
벽화
프랑스 |

생사뱅쉬르가르탕프
로마네스크 시대의 천
장 벽화를 볼 수 있는
유일한 성당이다.

가 없는 넓고 긴 천장의 둥근 면에 벽화가 그려져 있다. 소박한 양식으로 보아 벽화는 성당이 지어진 당시에 그려진 것 같다. 로마네스크 시대에는 다른 성당에도 벽화가 많이 그려졌을 테지만 앞서 말한 것처럼 내구성이 없어 남아 있는 것이 별로 없다. 이렇게 신랑을 완전히 덮고 있는 로마네스크 벽화는 내가 알기로는 생사뱅 수도원 성당의 것이 유일해서 매우 소중하다는 생각이 든다.

돌 천장 위에는 지붕을 놓았는데, 지붕은 지붕을 받치는 삼각형의 나무 뼈대와 그 뼈대 위에 나무 판을 얹고 그 위에 지붕의 재료라고 할 수 있는 진흙으로 구운 타일이나 얇게 저민 돌판 같은 것을 얹어 축조된다. 지붕은 비나 눈 같은 자연현상으로부터 돌 천장을 보호해주고, 돌 천장은 화재 시 불이 지붕의 나무 구조로 번져 교회가 완전히 타버리는 것을 막아준다.

앞서 말한 것처럼 서유럽은 9세기에 외적의 침입을 집중적으로 받았는데, 성당은 성물함이나 제기 같은 값진 물건이 많았으므로 약탈과 방화의 표적이 되었다. 이때 불타 없어진 성당이 부지기수다. 이런 역사적 배경에서 볼 때 불에 강해 화재에 더 잘 견디는 실용성이 로마네스크 성당의 돌 궁륭 애용을 잘 설명해주기는 하지만, 돌 궁륭의 지속적이고 광범위한 인기에는 적어도 다른 몇 가지 이유가 있다는 생각이다.

하나는 궁륭의 탁월한 음향 효과다. 초기 기독교도들은 유대교 전통에 따라 예배할 때 노래를 많이 불렀다. 이런 노래들은 6세기 교황 성 그레고리오 1세St. Gregorius I 540경~604가 수집하고 정리하여 전 유럽에 일괄적으로 유포했다고 알려져 있는데, 학자들은 8세기 그레고리오 2세St. Gregorius II 669~731의 업적일 가능성이 더 높다고 보고 있다. 어쨌든 그레고리오 성가는 수사들이 반주 없이 제창했던 단성의 라틴어 가사로 이루어진 노래인데, 돌로 된 이 반원형 궁륭이 성가를 멀리까지 낭랑하고 아름답게 울려 퍼지게 했다.

다른 하나는 심리적인 것으로서 천장의 둥근 공간은 어딘가 보호를 받고 있는 듯한 인상으로 신도들에게 심리적 안정감을 주었을 것이다. 또 이 공간은 수직으로 높이 솟아 있어 우리의 기도가 아무런 방해 없이 '올라갈' 것 같은 느낌을 주고, 나아가 종교적 위엄도 느끼게 해준다. 이런 공간에 들어가면 우리는 무언가 엄숙하고 일상과는 달라져야 될 것 같은 마음을 가지게 되는데, 이것은 종교적 체험에 필수적 요소가 아닐까 생각한다. 그러나 바실리카의 전통이 강하고 침입의 피해를 덜 받은 이탈리아에서는 계속 평평한 나무 천장을 많이 썼다.

드물긴 하지만 신랑 천장이 모두 터널처럼 길게 되어 있지 않은 경우도 있다. 프랑스의 투르뉘 생필리베르 수도원 성당의 천장이 그 대표적인 예다. 신랑 천장이 대부분의 성당처럼 동서로 한 개가 길게 놓인 것이 아니라 남북으로 짧게 몇 개가 가로놓여 있고, 원통형이 마감되는 반원형의 면 자체는 무게를 거의 받지 않기 때문에 거기에 제법 큰 창문이 나 있다. 이 디자인은 실내를 더 밝게 하는 효과가 큰데도 다른 로마네스크 성당에서는 전혀 채택되지 않은 것을 보면 아마도 미적으로나 상징적으로 불만족스러웠기 때문이었을 것이다(160쪽 사진 참조).

프랑스의 베즐레 생트마리마들렌 대성당 신랑의 천장은 사진으로는 잘 식별할 수 없지만 두 개의 원통형 궁륭이 90도 각도를 이루며 교차하는 교차형 천장 구조를 보인다. 하나의 교차형 궁륭 평면도는 정사각형을 이루고, 그 하중의 많은 부분이 정사각형 평면의 귀퉁이로 전달되기 때문에 비교적 창문을 크게 낼 수 있었다. 횡단아치도 다른 부분들과의 조화가 아름다워 기능적이기보다는 장식적으로 쓰였다는 인상을 준다.

캉에 있는 두 성당도 교차형 천장으로 되어 있다. 앞서 베즐레 생트마리마들렌 대

베즐레
생트마리마들렌
대성당의 천장
프랑스 | 베즐레

두 개의 원통형 궁륭이
90도 각도를 이루며
교차하는 교차형 천장
이다.

**캉 생테티엔 수도원
성당의 천장**
프랑스 | 캉

로마네스크 성당의 교
차형 천장은 대개 네 부
분으로 나뉘어져 있는
데 반해, 이 성당은 고
딕 양식의 영향하에 새
로 개축되었기 때문에
천장이 여섯 부분으로
나누어져 있고 각 면이
만나는 곳에 뼈대 같은
횡단아치가 있다.

성당처럼 로마네스크 성당의 교차형 천장은 대개 네 부분으로 나뉘어져 있는 데 반해, 이 두 성당은 고딕 양식의 영향하에 새로 개축되었기 때문에 천장이 여섯 부분으로 나누어져 있고 교차 부분에 돌로 연결된 뼈대를 넣어 이음새를 강화한 것을 볼 수 있다. 또한 이음새를 타고 내려온 무게가 창문이 있는 벽이 아니라 밑의 기둥에 바로 전도되게 되어 있다. 이 뼈대 같은 횡단아치가 고딕 천장의 특징인데, 이것을 '뼈대궁륭'rib vault이라고 한다.

로마네스크 후기, 즉 12세기 중반부터 원통형 궁륭과 비슷하지만 아치의 윗부분이 뾰족해진 첨형 아치 천장이 개발되었다. 클뤼니 수도원의 세 번째 성당과 그 영향을 받은 오퇭 생라자르 대성당, 파레이르모니알 사크레쾨르 성당이 좋은 예이다. 첨형 아치는 경사도가 높아 위에서 내려오는 하중을 원형 아치보다 수직적으로 더 잘 내려보낸다. 이렇듯 벽 자체에 하중을 덜 주기 때문에 첨형 아치는 고딕 성당을 그토록 높이 지을 수 있게 했다. 따라서 예외적으로 컸던 클뤼니 수도원의 세 번째 성당에 이 첨형 아치 궁륭을 쓴 것은 건축공학적 유용성을 감안했던 것이라고 할 수 있다.

그러나 로마네스크의 첨형 아치는 고딕의 첨형 아치보다 훨씬 폭이 넓고 우아하며 대체로 건축공학적이라기보다는 미적, 표현적 관점에서 쓰인 것이 아닌가 생각한다. 특히 시토회 성당들은 천장이 높지 않음에도 모두 예외 없이 첨형 아치 천장을 쓴 것을 보면, 첨형 아치는 수도원의 정신적 엄격함을 시각적으로 표현한 것이라고 생각된다. 이 첨형 아치는 천장 외의 다른 곳에도 쓰였는데, 신랑과 측랑 사이 벽에 첨형 아치를 둔 시토회 실바칸 수도원 성당이 그 좋은 예다.

천장이 돔으로 된 로마네스크 성당도 있다. 이탈리아 남동부의 몰페타 산코라도 대

실바칸 수도원 성당의
첨형 아치
프랑스 | 라로크당테롱

첨형 아치는 수도원의 정신
적 엄격함을 시각적으로 표
현한다.

몰페타 산코라도
대성당의 돔 천장
이탈리아 | 몰페타

모자이크 같은 장식이
없는 돔은 엄숙한 분위
기를 연출하며 로마네
스크의 형식미를 아름
답게 드러낸다.

성당에는 여러 개의 돔이 신랑을 덮고 있다. 몰페타는 항구도시로 비잔틴제국과 가까웠기 때문에 그 영향을 많이 받았을 수도 있고, 비잔틴 문화권의 건축공들이 와서 이 성당을 지었을지도 모른다. 비잔틴 성당과는 달리 돔에 모자이크 같은 장식이 없는데, 그 덕분에 분위기가 아주 엄숙하고 로마네스크의 형식미가 아름답게 드러난다.

프랑스 남서부에 있는 퐁트브로 노트르담 수도원Abbaye Notre-Dame de Fontevraud 성당, 앙굴렘 생피에르 대성당Cathédrale Saint-Pierre d'Angoulême, 오베르뉴 지방에 있는 르퓌앙벌레 노트르담 대성당도 천장이 돔으로 되어 있다.

조명과 공학의 문제, 측랑

측랑은 신랑의 양쪽으로 나 있는 복도 같은 공간으로 신랑보다 대개 지붕과 천장이 낮고 폭도 반 정도로 좁다. 측랑의 지붕은 창문의 필요성 때문에 거의 모두가 교차형 천장으로 되어 있는데, 82쪽의 생사뱅 수도원 성당 측랑 사진이 이를 잘 보여준다.

측랑의 천장이 교차형이 아닌 경우도 있는데, 이른 시기에 지어져서 교차형 천장의 유용함을 몰랐거나 신랑 천장의 무게가 너무 무거워 측랑 구조 전체가 버팀벽의 역할을 해야 하는 성당에서 발견된다. 이런 경우 측랑의 천장은 원통을 길이로 반 혹은 그보다 좁게 자른 것 같은 형태를 하고 신랑 돌 궁륭의 무게를 지탱하기 위해 신랑 천장의 무게가 내려오는 곳에 설치되어 있다. 이를 수직으로 보면 아치를 반으로 자른 듯한 모양이 된다.

기도의 공간

르퓌앙벌레 노트르담
대성당의 돔 천장
프랑스 ㅣ 르퓌앙벌레

원형이라기보다는 팔각
형의 돔이라고 할 수 있
는 천장이 신랑 위에 네
개가 연이어 있고 교차
랑은 원형 돔으로 되어
있다.

153

퐁트브로 노트르담 수도원 성당의 돔 천장

프랑스 |

퐁트브로라베이

네 개의 원형 돔이 신랑의 천장을 이루는 이 성당은 흥미롭게도 측랑이 없고 돔의 무게가 집중되는 네 귀퉁이에 육중한 복합기둥이 있으며 이것을 또다시 벽이 받치고 있다.

나는 두 로마네스크 성당에서 이런 측랑 천장의 아주 인상적인 예를 보았다. 하나는 에스파냐의 동쪽, 지중해 바다를 내려다보는 산 정상에 세워진 산페드로데로다 수도원Monasterio de San Pedro de Roda 성당이고, 또 하나는 이탈리아 남동부의 몰페타 산코라도 대성당이다. 산페드로데로다 수도원 성당의 신랑 천장은 수직으로 잘라 보면 반원의 궁륭이 말발굽처럼 길게 연장되어 있고, 몰페타 산코라도 대성당 신랑 천장은 돔으로 되어 있었다(151쪽 사진 참조). 두 성당 모두 신랑 천장의 하중이 유난히 커서 측랑의 천장이 그 무게를 직접 지탱해야 했기에 반쪽 아치 형태를 하고 있다.

프랑스 서부에 있는 많은 성당들은 의도적으로 바실리카 양식을 피하고 측랑을 신랑까지 높이는 선택을 했다. 이런 성당들은 측랑과 신랑이 막힘 없이 트여 하나의 큰 홀과 같은 공간을 만들기 때문에 '홀 성당'이라고 불린다. 홀 성당은 지붕의 하중을 측랑이 많이 감당해야 하기 때문에 측랑의 폭이 비교적 좁다. 천장의 형태는 앞의 예처럼 부분적으로 아치이거나 교차형인데, 예외없이 횡단아치를 설치해서 측랑 전체가 버팀벽의 역할을 하도록 되어 있다.

생트 생퇴트로프 성당, 푸아티에 대노트르담 성당, 퀴노 노트르담 성당Église Notre-Dame de Cunault 등 프랑스 서쪽 지방의 성당들이 이런 디자인으로 지어져 있다. 이런 성당들의 내부 조명은 순전히 측랑의 창문에 달려 있기 때문에 창문의 크기에 따라 밝기가 많이 달라진다. 푸아티에 대노트르담 성당은 내부가 기하학적 문양으로 채색되어 있어서인지 더욱 어둡게 느껴졌다.

프랑스 서쪽의 몇몇 홀 성당은 반지하라고 할 만큼 지상 위로 솟은 높이가 낮기 때

산페드로데로다
성당의 측랑 천장
에스파냐 | 히로나

신랑의 높고 무거운 천
장과 벽을 지탱하기 위해
측랑 천장에 부분 아치를
두고 넓은 횡단 아치로
이를 보강하고 있다.

신랑에서 측랑을 바라
보며 찍은 사진이다. 측
랑의 천장은 교차형 궁
륭인데, 횡단아치도 비
교적 두껍다.

반지하라고 할 만큼 지
상 위로 솟은 높이가 낮
은 이 홀 성당은 성당 안
으로 들어가려면 입구에
서 수십 개의 계단을 밟
고 내려가게 되어 있다.

문에 성당 안으로 들어가려면 입구에서 수십 개의 계단을 밟고 내려가게 되어 있다. 왜 이렇게 지어졌을까? 성당 터가 서쪽이 높게 되어 있기 때문일 수도 있겠지만, 내 생각에는 아마도 조명 때문이 아닐까 싶다. 서쪽 문으로 들어오는 빛이 실내로 깊이 침투할 수 있게 하기 위해서 이런 구조를 택했을 것이다. 따라서 이런 성당들은 실내가 비교적 밝다. 하지만 대부분의 성당에서는 서쪽 주 출입구의 문이 조도를 높이는 데 큰 역할을 하지 않는다.

하늘을 향한 기도와 염원의 표현, 수직적 구조

아치와 아케이드가 성당의 구성에서 가장 중요한 원형의 모티프를 형성하고 있다면, 그것을 받치는 기둥들은 수직적 요소를 도입한다.

초기 기독교 회당의 바실리카에도 아치를 받치는 기둥이 있었으므로 수직적 요소가 있었다. 하지만 그 수직선은 아치의 둥근 선으로 마감되어 더 이상 위로 뻗어가지 않고, 아케이드와 채광층 사이의 벽이 다른 요소의 방해를 받지 않은 채 수평적으로 펼쳐지므로 바실리카의 벽은 수직보다는 수평적인 인상을 준다. 이 기다란 수평적 공간에 초기 기독교인들은 모자이크나 벽화로 성경의 이야기나 인물들을 묘사했다. 이탈리아 라벤나의 산타폴리나레누오보 성당Basilica di Sant'Apollinare Nuovo은 바실리카 양식으로 6세기에 지어진 비잔틴 성당으로 아케이드와 창문 사이의 벽을 모자이크로 장식하여 수평적으로 잘 활용한 것을 볼 수 있다.

이탈리아 코모의 산타본디오 성당 아케이드 윗벽에는 벽화를 그려놓았던 흔적이

측량에서 신랑 쪽으로
원주를 올려다보며 찍은
사진이다. 원주머리 조
각이 없고 작은 돌로 지
어진 초기 로마네스크
양식을 그대로 보여주고
있다. 가로로 놓인 원통
형 천장이 잘 보인다. 왼
쪽에 보이는 창문은 고
딕 양식으로 재구축된
것이다.

있고, 시칠리아의 거의 모든 로마네스크 성당은 비잔틴 문화권의 영향으로 같은 부분이 모자이크로 덮여 있다. 이런 성당들은 천장이 나무로 되어 있어 무겁지 않기 때문에 '단독원주'가 신랑과 측랑 사이의 아케이드를 받치고 있다. 이들 단독원주는 폐허가 된 옛 로마의 건물들에서 옮겨온 것들이 많아 로마에서 가장 많이 썼던 코린트식 기둥머리를 그대로 보여주고 있다.

측랑의 천장이 높아 측랑 구조 자체가 버팀벽 역할을 하는 프랑스 서부의 홀 성당들에서도 단독원주가 사용되어 있는 모습을 볼 수 있는데, 생사뱅 수도원 성당이 그 좋은 예(82쪽 사진 참조). 또 초기에 지어졌거나 작은 성당도 단독원주를 두었다. 전자의 예가 투르뉘 생필리베르 성당이고, 후자의 예가 샤페즈 생마르탱 성당이다.

그러나 전통적인 바실리카 양식에 반원형 돌천장이 첨가되면 신랑 벽을 받치는 데는 단독원주로 충분하지가 않다. 이 무게는 측랑 외부의 두꺼운 벽과 육중한 버팀벽으로 어느 정도 이전되기는 하지만, 벽 바로 밑에 상당히 강한 구조가 받쳐주지 않으면 안 된다. 이 공학적인 문제를 로마네스크 건축가들은 어떻게 해결했을까? 우선 가장 쉬운 해결책을 생각해 보자. 신랑과 측랑 사이에 단독원주를 군데 군데 설치하기보다는 아예 벽을 두껍게 하고 두 공간 사이의 통행을 위해 '구멍'을 낸 듯 넓은 벽돌이 천장을 받치게 하면 어떨까? 아니면 단독원주를 쓰되 아주 두껍게 하면 어떨까?

재미있는 사실은 이 두 가지 단순한 해결 방식이 처음에는 다 쓰였다는 것이다. 독일의 초기 로마네스크 성당에서는 구멍 뚫린 벽의 예를, 몇몇 이탈리아 성당과 앞서 나온 프랑스의 초기 두 성당에서는 매우 두꺼운 단독원주의 예를 볼 수 있다. 그러나 이 두 가지가 손쉬운 해결법이긴 했지만 일찌감치 사라졌다는 사실은 의미심장하다. 아마도 조형적으로 불만족

로마네스크 초기에 지
어진 작은 성당이어서
작은 돌로 된 단독원주
가 있다. 멀지 않은 곳
에 있는 튀르뉘 생필리
베르 성당의 영향을 받
았는지도 모른다.

스러웠기 때문일 것이다.

그러면 기능적으로 큰 무게를 감당하면서 시각적으로는 무겁거나 두껍게 느껴지지 않게 하는 방법은 무엇이었을까? 그것은 로마네스크 건축공들이 '고안'해낸 복합기둥 compound pier이다. 복합기둥은 원주나 각기둥 몇 개를 다발로 묶은 것 같은 모양을 하고 있는데, 단면도를 보면 십자가형, 클로버형, 이 둘을 합친 것 같은 복합형 등 다양한 형태를 하고 있다. 복합기둥의 수많은 수직선은 우리 눈이 수평적으로 두께를 가늠하지 못하도록 막아서 기둥이 실제보다 가늘어 보이게 만든다.

또한 복합기둥은 결합된 기둥들이 밖으로 퍼지면서 다른 건축요소들과 연결되기 때문에 장식적으로 덧붙여진 것이라는 인상을 준다. 예를 들어, 신랑을 향하고 있는 반원주는 흔히 2층을 지나 천장 바로 밑까지 뻗어 있거나 천장을 가로지르는 횡단아치와 연결되어 있고, 측랑 쪽을 면하고 있는 반원주는 교차형 궁륭의 이음새가 끝나는 곳까지 뻗어 있다. 따라서 복합기둥은 기능적으로 불가결한 기둥의 절대적 두께를 보장하면서도 조형적으로는 전혀 그렇지 않은 느낌을 주는 아주 기발한 방식이 아닐 수 없다. 왜 많은 로마네스크 성당 내부에 실제로 들어가보면 무겁다는 인상을 받지 않을까라는 의문에 대해 생각한 끝에 내가 도달한 결론이다.

이렇게 원주나 복합기둥, 반원주 등을 살펴보면 로마네스크 건축가들은 수직성이 갖는 상징적인 의미를 일찌감치 이해하고 있었던 것을 알 수 있다. 특히 원통형 돌 궁륭으로 평평한 나무 천장보다 천장을 높이고 그것을 받치기 위해 수직적 기둥과 반기둥을 써야 했기 때문에 로마네스크 건축가들은 이 수직적 공간이 주는 심리적 효과와 그에 따른 상징적 의미

생트 생퇴트로프
성당의 복합기둥
프랑스 | 생트

이 복합기둥은 마치 네
개의 원주와 여덟 개의
각주가 묶여 있는 것 같
다. 내부는 다 돌로 되어
있는 것이 아니라 콘크
리트로 메워져 있다.

164

이수아르
생토르트르무안
성당의 채색 반원주
프랑스 | 이수아르

반원주는 복합기둥의
일부로 쓰이거나 막힌
아치의 기둥으로 잘 쓰
인다. 이 성당은 내부가
모두 채색되어 있다.

산타마리아델라피에베
Chiesa di Santa Maria
della Pieve 성당의
복합기둥
이탈리아 | 아레초

복합기둥이 원주 다발
로 되어 있는데, 원주 위
에 원주가 서 있는 것으
로 이상하면서도 재미있
게 느껴진다. 이런 복합
기둥을 나는 어디에서도
본 적이 없다.

멜 생틸레르 성당의
반원주 기둥
프랑스 | 멜

반복되는 반원주의 선
이 수직성을 강조하고
있다.

167

를 놓치지 않고 강조했을 것이다

　　　　이 수직성은 13세기 고딕 양식에 이르면 극단적으로 강조된다. 물론 첨형 아치와 공중버팀벽이라는 두 가지 건축공학적 기술의 발전으로 성당의 높이를 크게 높일 수 있었기 때문에 가능한 일이었을 것이다. 그러나 무엇보다도 프랑스 파리 근교 생드니 수도원Abbaye de Saint-Denis의 강력한 수도원장 쉬제르Suger de Saint-Denis 1080경~1151가 빛과 높이의 상징성을 강조한 것이 종교계에 널리 퍼졌기 때문이기도 하다. 쉬제르는 프랑스 왕 루이 7세Louis VII le Jeune 1120~80가 십자군전쟁으로 나라를 떠난 사이 국정을 도맡았을 정도로 왕의 신임을 받았고, 생드니 수도원 성당은 프랑스 왕이 대대로 안장되던 중요한 성당이었다.

　　　　거기에다 고딕 시대에 발달한 도시들이 서로의 부와 권위를 성당을 통해 경쟁적으로 과시했기 때문에 고딕 성당은 끝없이 높아만 갔다. 이 때문에 프랑스 보베 생피에르 대성당 Cathédrale Saint-Pierre de Beauvais의 경우와 같은 웃지 못할 일이 생기기도 했다. 13세기에 지어지기 시작한 이 성당은 내진 천장의 높이가 46미터나 되어 당시 세계에서 가장 높은 성당이라는 명성을 차지했다. 하지만 곧 천장이 무너져 보수를 해야 했고 결국 고딕 시대가 다 지나도록 신랑을 짓지 못했다.

　　　　수직선을 강조하기 위해서 고딕 양식의 복합기둥은 가는 원주들이 다발을 이루며 로마네스크 복합기둥보다 더 많은 수직선을 만들어낸다. 물론 고딕 건축가들이 수직선이 많은 복합기둥을 사용한 것은 고딕 성당 전체를 관장하는 수직성과 조화시키기 위한 의도적 선택이었다. 하지만 디자인의 관점에서 볼 때 로마네스크 양식의 복합기둥이 서로 다른 모양과 두께로 대조감과 리듬감을 연출하고 있는 데 반해 두께와 형태가 비슷한 원주들이 결합되어 있는 고딕 양식의 복합기둥은 단조로워 보인다. 앞서 살펴본 베즐레 생트마리마들렌 대성당에서는 한자리에 서서 로마네스크 양식과 고딕 양식의 복합기둥의 이러한 차이를 한눈에 비교해볼 수 있다. 122쪽 사진을 자세히 보면, 왼쪽의 복합기둥에서 정면으로 보이는 것은 로마네스크 양식인 반면에 그 왼편과 뒤쪽의 밝은 창문 사이의 복합기둥은 고딕 양식이다.

채광과 장식의 공간, 수평적 구조

로마네스크 성당의 벽은 단층~3층으로 이루어져 있는데, 대체적으로 1층은 다른 층보다 높고 아케이드로 측랑과 구분되어 있다. 단층 구조는 아케이드로 된 1층이 천장의 궁륭과 직접 만나는 구조이다. 시토회 수도원은 대개 이런 구조로 되어 있는데, 150쪽 실바칸 수도원 성당에서 볼 수 있는 것처럼 두꺼운 복합기둥과 첨형 아치의 나열로 측랑이 구분된다. 홀 성당도 단층 구조로 되어 있는데, 157쪽 푸아티에 대노트르담 성당에서 볼 수 있는 것처럼 아케이드의 원주가 천장 가까이까지 뻗어 있어 시토회 수도원 성당들보다 수직성이 강하게 느껴진다.

바실리카의 전통이 강하게 남아 있는 이탈리아 성당은 아케이드와 그 위에 창문이 있는 채광층을 두는 2층 구조로 되어 있는 것이 많다. 앞서 설명한 것처럼 벽화나 모자이크와 같은 장식적 요소를 이용해 이 수평의 빈 벽을 채우기도 했다. 피렌체의 산미니아토알몬테 성당의 경우 벽면에 흰색과 진녹색의 프라토 대리석으로 기하학적 문양이 장식되어 있다.

**산티아고데콤포스텔라
대성당의 갤러리(위)**
에스파냐 | 산티아고

규모가 큰 성당이어서
원통형 궁륭의 폭이 넓
고 무게도 매우 무겁기
때문에 벽을 약하게 하
는 채광층을 둘 수가 없
다. 따라서 천장에 맞닿
아 있는 2층 갤러리가 버
팀벽 역할을 한다.

**툴루즈 생세르냉
성당의 갤러리(아래)**
프랑스 | 툴루즈

이 성당은 산티아고데콤
포스텔라 대성당의 모델
이 되었다고 하는데 후
자의 성당보다 측랑이
신랑 양옆으로 하나씩
더 있다. 이 성당에는 채
광층이 없을 뿐만 아니
라 측랑에 난 창문이 신
랑의 조도를 높이는 데
큰 도움이 되지 않기 때
문에 실내가 상당히 어
둡다.

그러나 순례성당처럼 규모가 큰 데다 돌 궁륭이 있는 경우 돌 천장의 무게 때문에 2층 벽에 창문을 내는 것은 바람직하지 않다. 따라서 이런 성당의 2층에는 창문이 없는 대신 아래층과 비슷하지만 높이는 1층의 아케이드보다 훨씬 낮은 회랑이 있다. 대개 두세 개의 작은 열린 아치를 하나의 막힌 아치가 감싸고 있는 모양으로 되어 있고, 그 전체의 폭은 아래층에 있는 하나의 아치와 같다. 하지만 아래층의 아케이드와 폭이 같은 아치를 둔 캉 생테티엔 수도원 성당(148쪽 사진 참조)처럼 예외도 있다. 이런 2층을 '갤러리gallery'라고 부른다. 갤러리는 예배에 참석하는 신자들이 많아 신랑으로는 다 수용하지 못할 경우 여분의 수용 공간으로 이용되었을 것이라고 하지만, 많은 경우 불편할 정도로 천장이 낮아 그보다는 신랑 천장의 무게를 지탱하는 강력한 버팀벽으로서 더 중요한 역할을 했을 것이다.

순례의 종착지인 에스파냐의 산티아고데콤포스텔라 대성당이 2층 구조의 전형적인 예이며, 중요한 순례성당이자 지금은 유럽에서 제일 큰 로마네스크 성당인 툴루즈 생세르냉 성당Basilique Saint-Sernin de Toulouse도 이러한 구조로 지어졌다. 갤러리의 외벽에 창문이 나 있다고 해도 햇빛이 실내로 깊이 들어오지 않기 때문에 이런 성당들은 실내가 상당히 어둡다. 하지만 콩크 생트포이 수도원 성당처럼 동쪽에 창문이 많이 나 있어 그다지 어둡다는 느낌은 들지 않는 경우도 있다.

이런 2층 구조 위에 창문층을 둔 것이 3층 구조인데, 앞에서 말했듯이 창문은 벽을 약하게 하기 때문에 매우 드물다. 프랑스에서 3층 구조로 인상적인 예는 캉 생테티엔 수도원 성당이다. 이 성당의 갤러리 위에 작은 창문이 나 있는데, 가만히 살펴보면 천장이 교차형으로 되어 있고 천장의 무게를 유도하는 뼈대가 창문을 피해 곧바로 갤러리의 기둥을 타고 내려

콩크 생트포이
수도원 성당의
갤러리
프랑스 | 콩크

제법 큰 성당이어서 채
광층이 없다. 그러나 동
쪽에 있는 많은 창문이
조도를 높여준다.

캉 수녀원 성당의
트리포리움
프랑스 | 캉

트리포리움 자체의 디
자인은 단순한 편이지
만 1층 아케이드의 부
조 무늬와 채광층의 작
은 기둥들과 어우러져
벽이 아름다웠던 성당
으로 기억된다.

가게 되어 있어 이런 구조가 가능했을 것이다. 피사 대성당도 3층으로 되어 있는데, 천장이 돌이 아닌 나무로 되어 있어서 큰 문제가 없었을 것이다.

독일, 영국의 대성당 중에는 아케이드−갤러리−채광층의 3층 구조로 되어 있는 경우가 있는데, 이런 성당은 내부의 기둥이 훨씬 무겁고 두꺼워야 한다. 한 예를 나는 영국의 더럼 대성당Durham Cathedral에서 보았다. 엄청나게 복잡한 복합기둥과 두꺼운 단독기둥이 이 거대한 성당을 지탱하고 있었다.

3층 구조에서 가장 많이 볼 수 있는 형식은 창문층을 더하되 2층에 갤러리를 만들지 않고 갤러리처럼 보이는 장식층, '트리포리움triforium'을 두는 것이다. 바실리카에서처럼 창문이 신랑 윗벽에 나 있기 때문에 이런 구조의 성당들은 비교적 실내가 밝다. 보세르빌 생조르주 수도원 성당, 캉 수녀원 성당의 트리포리움은 디자인이 아기자기하고 매우 아름답다. 클뤼니 수도원의 세 번째 성당, 파레이르모니알 사크레쾨르 성당, 오툉 생라자르 대성당도 이런 구조로 되어 있다.

이렇게 수직적 공간과 수평적 벽면이 체계적으로 구성되어 있기 때문에 로마네스크 성당은 고딕 성당과 달리 그 안에서 절대로 '길 잃은' 느낌이나 압도감을 느끼지 않는다. 오히려 편안하고 안정적이다. 어쩌면 이 때문에 로마네스크 성당이 고딕 성당만큼 유명세를 떨치지 못하고 찬사를 받지 못하는지도 모른다. 아무리 큰 로마네스크 성당이라도 고딕 성당만큼 강렬한 감정을 일으키지 않기 때문이다.

로마네스크의 공간은 근본적으로 이성적이고 인간적이다. 그러므로 로마네스크 성당이 주는 감동은 조용한 희열에 가깝다. 아마 이 때문에 나는 로마네스크 성당에서 한국의 산사에서 느꼈던 감정을 다시 맛볼 수 있었는지도 모른다. 한국 산사들은 대개 선불교의 사찰들이므로 북적거리는 도시의 사찰들과는 다르게 조용하고 명상적이다. 목탁 소리, 깨끗이 쓸어진 마당, 가끔씩 그 대조 때문에 나를 놀라게 했던 절 마당의 붉게 흐드러진 동백꽃.

그뿐만 아니라 한국 사찰의 외모에는 조형적인 절제와 아름다움이 있다. 아무리 큰 사찰이라 해도 비례가 좋고, 화려하다 해도 도가 지나치는 예가 없다. 이것은 절뿐만이 아니라 다른 한국 예술 작품들에도 나타나는 경향이다. 불국사 석굴암의 부처, 석가탑, 조선 분청사기만 떠올려보아도 절제된 아름다움이 어떤 것인지 알 수 있지 않는가!

돌과 벽돌 그리고 석회벽

얼마나 쉽게 구할 수 있는가, 날씨에 얼마나 잘 견디는가 하는 점들이 관건이 되었던 외벽의 돌과는 달리 내벽의 돌을 선택할 때는 미적인 차원이 많이 고려되어 많은 비용이 들어도 먼 지방에서 옮겨와 다듬어 만든 마름돌을 많이 사용했을 것이다.

베즐레 생트마리마들렌 대성당 내부는 크게 다듬은 크림색의 돌을 써서 밝은 느낌을, 베이지색과 고동색 돌을 섞어 써서 세련된 느낌을 주고 있는데, 이 큰 성당이 내부 디자인에 신경을 꽤 썼음을 보여준다.

그러나 이는 경제력 있는 큰 순례성당이나 대교구성당에서나 가능한 일이었고, 대부분의 성당에서는 외부의 벽을 구성하는 재료의 경우처럼 지방에서 쉽게 구할 수 있는 돌로

베즐레
생트마리마들렌
대성당 바닥의 돌
프랑스 | 베즐레

크게 다듬은 크림색의
돌을 써서 밝은 느낌을.
베이지색과 고동색 돌
을 섞어 써서 세련된 느
낌을 준다.

리세르 생드니 성당의 바닥
프랑스 | 리세르

바닥이 그 지역에서 흔히 구할 수 있는 자갈돌로 되어 있다.

바루에라 산펠릭스
성당 내부
에스파냐 | 히로나

벽과 기둥은 거친 돌을
그대로 썼으나 천장은
석회로 마감되어 있다.

내부의 벽이나 바닥을 만들었다. 그렇게 검소하고 흔한 재료를 써서 정감이 느껴지는 작은 성당들도 있었다. 바닥이 그 지역에서 흔히 구할 수 있는 자갈돌로 되어 있던 리세르 생드니 성당이 인상에 많이 남는다. 이런 흔한 돌을 성당의 바닥으로 쓰는 예는 매우 드물기 때문이다. 발데보이의 작은 성당들은 외부와 마찬가지로 내부의 벽에도 돌의 거친 질감이 그대로 드러나 있다.

바루에라 산펠릭스 성당은 벽과 기둥은 거친 돌을 그대로 썼으나 천장은 석회로 마감되어 있다. 거친 돌을 매끄럽게 깎기보다는 석회로 벽을 덮어 마감하는 것이 비교도 되지 않을 정도로 비용이 덜 들고 보기에도 좋기 때문에 많은 성당의 내부가 이런 식으로 구성되어 있다.

이렇게 구성된 내부의 석회벽은 벽화를 그리기에 좋은 캔버스였을 테니 수많은 성당의 벽이 벽화로 덮였을 테지만 오랜 세월과 보수 작업을 버티고 내부에 색채가 남아 있는 성당은 많지가 않다. 생사뱅 수도원 성당(144쪽 사진 참조), 푸아티에 대노트르담 성당(157쪽 사진 참조), 이수아르의 생토트르무안 성당(165쪽 사진 참조)이 그런 성당들이다. 때문에 이런 성당에 들어가면 마음이 흥분되곤 했다. 대개 벽이나 원주는 기하학적 무늬나 대리석을 모방한 무늬로 덮여 있는데, 특히 이수아르 생토트르무안 성당의 원주 조각들에는 성경 장면들이 오색찬란하게 펼쳐져 있다.

내부가 마름돌로 잘 구축되어 있어 벽에 석회를 입힐 필요가 없는 대형 순례성당들도 둥근 면, 즉 신랑, 측랑, 익랑, 교차랑의 천장은 석회로 마감했다. 정확한 각도에 맞춰 돌로 둥근 면을 축조하기가 어렵기 때문이다(147, 153, 160, 170쪽 참조).

시토회 수도원의 성당들은 장식은 최소화하고 기초 구조를 '정직하게' 짓는다는 입

생마르탱드롱드르
생마르탱 성당의 돔
프랑스 I
생마르탱드롱드르

잘 깎은 돌로 꼼꼼하게
축조한 돔 천장이 놀랍
다.

장을 견지하고 있었기 때문에 모든 벽에는 돌이 노출되어 있고 석공 마감이 우수한 편이다. 르토로네 수도원 성당, 세낭크 노트르담 수도원 성당 같은 시토회 수도원 성당들에서는 석회로 마감된 곳을 찾을 수 없다! 순례성당들과는 달리 천장의 둥근 면도 돌로 축조했는데, 그 어려움을 알면 그 지음새를 다시 보게 된다. 아치의 안쪽을 상상해보면 이해가 쉬울 것이다. 수많은 작은 돌의 밑면을 일정한 각도로 깎아 맞추지 않으면 정확한 반원형의 아치를 이룰 수 없다.

생마르탱드롱드르 생마르탱 성당은 시토회 소속은 아니지만, 잘 깎은 돌로 꼼꼼하게 축조한 돔 천장이 놀라웠다. 이 성당을 지은 수도사들이 따로 나오기 전에 있었던 생길렘르데제르 성당의 신랑 천장에도 돌이 그대로 노출되어 있는데(121쪽 사진 참조), 생마르탱드롱드르 생마르탱 성당은 여기서 한 걸음 더 나아간 기술을 보여준다. 정사각형의 교차랑 천장이 섬세하게 원형으로 바뀌며 돔을 이루고 있는데, 아무리 성당이 작아 돔이 작다 하더라도 다른 구조물의 도움은 전혀 없이 오직 돌로만 그 전이를 구현해내는 것은 건축공학적으로 크나큰 도전이었을 것이다. 이 돔의 표면은 말할 수 없이 매끄러워 보여 어쩌면 천장을 완성한 후 밑면을 매끈하게 간 것이 아닐까 하는 생각까지 들 정도였다. 이 의문에 대한 답은 영원히 찾을 수 없을 것이다. 다른 많은 로마네스크 성당들처럼 그 성당을 지은 석공이나 그의 기술에 대해 아무런 기록도 남겨져 있지 않기 때문이다.

5.

수도원의 안뜰과 조각

이 장에서는 성당을 떠나 수도원 안으로 들어가보려고 한다. 많은 로마네스크 성당이 수도원의 일부로 지어졌고 수도원이야말로 로마네스크의 시대정신을 가장 잘 나타내주기 때문에 우리의 여정에서 뺄 수가 없다. 수도원의 역사는 로마네스크 시대보다 훨씬 이른 시기에 시작되었지만, 로마네스크 시대에 이르러서 체계가 잡히고 활동이 왕성해져 중세 사회의 중요한 역할을 담당하게 된다.

중세 유럽의 정신과 사회를 이끈 수도원

수도원의 역사는 3, 4세기의 팔레스타인, 시리아, 이집트의 은둔 수도자들에게까지 거슬러 올라간다. 세상을 등지고 혼자 동떨어져 나와 살면서 예배와 기도에 평생을 바친 이 사람들은 몸과 영혼이 분리되어 있다는 것, 몸의 여러 한계를 벗어나는 영혼은 영원하고 고귀하다는 것, 몸을 다스리는 금욕의 수행으로 영혼이 정화되면 신에게 가까이 갈 수 있다는 것을 믿었다. 이러한 세계관은 기독교 자체의 것이라기보다는 그리스 철학, 특히 피타고라스, 플라톤, 스토아학파, 신플라톤주의를 잘 알고 있던 초기 교부들의 글을 통해 기독교 세계에 전파된 것이었다.

이들은 각자 고립되어 영위하던 수도생활을 탈피해 서로의 금욕생활을 고무하며 예수의 가르침을 더 잘 실천하기 위해 공동체생활을 시작했다. 물론 은둔 수도자에 대한 특별한 존경심은 기독교 역사 내내 지속되지만, 은둔생활로는 이웃을 사랑하라는 기독교의 가르침을 적극적으로 실천할 수 없다고 판단하는 사람들이 생겨나기 시작했기 때문이다. 우리가 알고 있는 수도원은 이 공동체로부터 탄생되었다.

수도원생활의 기본은 명상과 기도로 대동소이했지만, 어떤 목표를 더 강조하는가에 따라 초기 수도원의 성격은 다양했다. 어떤 수도원은 가난하고 병든 사람을 돌보는 것에 사명을 두었는데, 특히 4세기 카파도키아(오늘날의 터키 중부)의 수도자 성 바실리오Basilius Magnus 329경~379가 그랬다. 성 바실리오는 수도원의 규율을 썼는데, 이것은 그리스정교회 수도원의 지침으로 역할을 하게 된다. 그러나 그의 수도원 이념은 동로마뿐만 아니라 서로마 교회의 성직자들에게도 깊은 영향을 주었고, 그 영향은 이후 유럽에서 기독교 성당과 수도원이 빈민 구제의 역할을 떠맡는 것으로 이어졌다.

귀족을 중심으로 사라져가는 지적 유산을 보존하고 발달시키는 것에 중점을 두어 필사본의 복사와 전파, 교육에 전념한 수도원들도 있었다. 5세기 프랑스 남부의 생토노라 섬에 위치한 르랭 수도원Abbaye de Lérins이 그 한 예다. 4, 5세기만 해도 로마의 지적 문화를 제법 쉽게 접할 수가 있었으나, 6세기에는 게르만족들이 본격적이고도 대대적으로 침입해와서 그 원천이 되는 필사본들 다수가 불타거나 소실되었다.

이런 시기에 르랭 수도원은 유럽의 지적 유산을 지키고 종교 지도자를 양성하는 데 큰 역할을 했다. 수많은 주교와 성자 들이 이 수도원에서 수련했는데, 아일랜드를 기독교화한 성 파트리치오St. Patrick 389경~493도 이곳을 거쳤다. 지금도 프랑스 남부 칸에서 배를 타면 이 조그마한 섬에 갈 수 있다. 5세기에 지어진 몇몇 예배실과 11세기에 대피용으로 성곽이 지어졌지만 이제는 폐허가 된 수도원이 유적으로 남아 있다. 지금은 시토회 수도사들이 19세기에

르랭 수도원의 전경
프랑스 | 생토노라 섬

지금은 시토회 수도사들이
19세기에 복구된 로마네스
크 양식의 성당과 수도원에
서 생활하며 포도주를 생산
하고 있다.

복구된 로마네스크 양식의 성당과 수도원에서 생활하며 포도주를 생산하고 있다.

현대생활의 편리에 너무나 익숙한 대부분의 사람들은 평생을 수도원에서 지낸다는 것을 상상하기 어렵다. 설혹 기독교인이라 해도 평생을 침묵과 기도로 보낼 수 있게 하는 그 신앙의 깊이는 쉽사리 가늠하기 어려울 것이다. 이런 심리적 거리감을 극복하기 위해서는 로마네스크 시대에 이르기까지의 역사를 좀더 살펴볼 필요가 있다.

서로마제국이 5세기에 멸망한 후 도시, 중앙행정체계, 교역, 도로망 같은 로마의 유산은 거의 파괴되고 잊혀졌다. 로마제국이 멸망하기 전부터 북쪽 경계선을 넘어 서서히 이주해오던 게르만족들이 5, 6세기에는 북동쪽 중앙아시아를 중심으로 활동하던 훈족의 침입을 받고는 대대적으로 옛 로마의 영토로 몰려오기 시작했는데, 서고트, 동고트, 롬바르드, 반달, 프랑크 등이 그러한 게르만족들이었다. 침입과 약탈로 서유럽 전체를 혼란의 도가니로 몰아넣었던 이들은 유럽의 여러 지방에 자리를 잡았는데, 프랑크족은 지금의 프랑스와 독일을 중심으로 세력을 넓혀갔고, 서고트족은 지금은 에스파냐의 영토인 이베리아 반도에, 롬바르드족은 이탈리아 북쪽 지방을 점령해서 왕국을 형성했다.

그중 프랑크족이 기독교를 제일 먼저 받아들였고 8, 9세기 샤를마뉴 때에는 그 세력이 지금의 프랑스, 독일, 북이탈리아를 포함한 서유럽 대부분에 이를 만큼 강력해졌다. 샤를마뉴는 기독교를 전파하기 위해 수도원 설립을 후원하고 공식적인 글씨체를 만드는 한편, 학자들과 예술가들을 불러 모아 그동안 유통되던 여러 필사본을 대량으로 재필사하여 왕국 곳곳에 전파하는 등 로마 이후 처음으로 문화의 부흥이라고 할 만한 업적을 이루었다. 또한 교황의 요청에 응하여 이탈리아 북쪽의 롬바르드 왕국을 굴복시켜 서유럽 전체를 기독교화하는

데 선두의 역할을 했다.

프랑크 왕국은 9세기 샤를마뉴의 아들 세대에 이르러 동프랑크, 서프랑크, 로타링기아 세 왕국으로 나뉘어졌는데, 동프랑크 왕국은 독일, 서프랑크 왕국은 프랑스로 발전하게 된다. 로타링기아 왕국은 북해에서 이탈리아 반도 중부에 이르기까지 남북으로 길게 펼쳐져 있었는데, 10세기에 지금의 이탈리아를 비롯한 대부분의 영토가 동프랑크 왕국으로 흡수되고 나머지 지방은 다소 독립적인 부르고뉴 왕국으로 발전했다. 이런 상황에서 독일 지역은 그래도 정치적으로 비교적 안정되었으나, 프랑스를 비롯한 다른 지역들은 작은 왕국들과 공국들이 영토를 놓고 끊임없이 다투었기 때문에 유럽인들의 생활은 매우 고단한 것이었다.

게다가 유럽은 또 한 차례 외적의 대규모 침입을 받게 된다. 몇 백 년 전에 로마제국이 게르만족에 의해 파괴된 것처럼, 로마화한 게르만 왕국들이 사방으로부터 침입해온 이민족들에 의해 크게 시달리게 된 것이다.

처음 위협을 가해온 것은 8세기에 이베리아 반도를 침입한 이슬람 세력이었다. 이들은 피레네 산맥을 넘어 프랑스의 남쪽 지방을 공략했는데 샤를마뉴에 의해 저지당했고, 9세기에는 지중해를 지배하면서 시칠리아를 점령하기도 했다. 이와 거의 같은 시기에 스칸디나비아 반도로부터 노르만족이 침입하여 프랑스 지역을 황폐화했다. 이들은 항해술이 뛰어났기 때문에 유럽의 수많은 강과 지류를 따라 내륙 지방 깊숙이 침입해 들어갈 수가 있었고, 이베리아 반도를 돌아서 지중해까지 진출해 이슬람 세력이 지배하고 있던 시칠리아를 정복하기도 했다. 마지막으로 동쪽으로부터는 10세기에 마자르족이 쳐들어와 이탈리아 북부와 프랑스, 독일 동쪽 지방에 많은 피해를 끼쳤다.

이런 사정 때문에 중세 사람들에게 이 세상은 안전한 곳이 아니었다. 특히 서유럽에는 중앙행정체계라고 할 만한 것이 제대로 발달되지 않았기 때문에 법의 보호를 기대할 수 없었고, 상업이나 교역이 미미했기 때문에 일상생활은 거의 자급자족의 상태로 돌아가 불편하기 짝이 없었을뿐더러, 귀족이 아니면 교육이라고 할 만한 것은 받을 수도 없었다.

유럽의 이러한 역사적, 사회적 배경을 감안하면 수도원생활을 아주 새로운 각도로 볼 수 있게 된다. 적어도 수도원에서는 규칙적인 식사가 가능했고, 무법이 횡행하던 외부의 위험에 노출되지 않아도 되었다. 거기에다 수도사들의 의무 중 하나가 필사본을 베끼고 읽는 것이었기 때문에 교육을 받을 수도 있었다. 한마디로 수도원은 비천하고 위험한 유럽의 농경사회에서 그나마 문화라 할 만한 것을 간직하고 있던 안전한 도피처인 동시에, 문화의 오아시스 같은 곳이었다. 따라서 자녀를 어릴 때부터 수도원이나 수녀원에 입적시키던 당시 귀족의 관행은 당연한 선택이었다.

그러나 그보다 중요한 사실은 수도사는 사회적으로 중요한 역할을 하는 고귀한 직업이었다는 점이다. 수도사의 사회적 지위는 중세 봉건제를 지나면서 점점 확고해졌다. 들에서 곡식을 생산하는 농부, 봉토를 지키기 위해 전쟁을 수행하는 기사, 세계를 위해 기도하는 수도사, 이 세 가지 사회계층이 중세 사회의 기반을 이루었다. 당시 사람들은 죄의 결과는 지옥의 영원한 고통임을 명백한 사실로 받아들였고, 세속을 버린 희생, 끊임없는 명상과 기도로 영혼이 더 순수한 수도사의 기도가 자신들의 기도보다 훨씬 효험이 있다고 믿었다.

이런 점을 고려한다면 당시 수도원이 사회적으로 얼마나 큰 영향력을 행사했는가를 이해할 수 있다.

수도원생활

초기 교부들이 수도생활의 철학적 기초를 놓았다면, 성 베네딕토Benedictus de Nursia 480경~547경는 수도원의 공동체가 따라야 할 실질적인 규율을 성립했다고 할 수 있다. 성 아우구스티노Augustinus Hipponensis 354~430나 성 바실리오 같은 초기 기독교 성인들이 규율을 제시한 바 있었으나 가장 많이 받아들여진 것은 성 베네딕토의 규율이었다. 성 베네딕토가 6세기당시 이탈리아의 몬테카시노 수도원Abbazia di Montecassino의 원장이기도 했고, 수도원 생활의거의 모든 면에 대해 세부적이고 종합적인 지침을 제시했기 때문이다. 그의 규율은 영향력이큰 사람들, 예컨대 샤를마뉴, 아니안의 성 베네딕토Benedictus Anianensis 750~821 그리고 교황 성그레고리오 1세와 같은 사람들에 의해 유럽 전역에 퍼져 10세기 즈음에는 수도원이 따라야할 이상으로 확고하게 자리 잡았다.

성 베네딕토의 규율은 현대인에게는 무척 엄하게 느껴지지만 인간적이고 합리적이라는 역사적 평가를 받는다. 성 베네딕토는 수도사의 일상생활을 공동예배, 개인적 기도와 명상, 육체적인 노동이라는 세 가지 중요한 활동으로 나누어 균형을 이루도록 했다. 그는 사람의 심리에 대한 통찰력으로 작은 공동체 내의 생활이나 변화가 없는 정신생활에서 오는 문제점들을 방지하고자 노력했다. 이 때문인지 베네딕토회 수도원은 13세기에 프란치스코회나 도미니코회가 생기기 전까지 가장 중요한 수도원이었다.

수도원생활의 세 가지 원칙은 순결, 가난, 순종이었는데, 이 중 순결은 초기 기독교 시절부터 수도원생활의 중요한 원칙이었다. 신약을 보면 사도 바울로는 결혼을 반대하지는 않았으나 독신으로 신의 일을 하는 것이 이상적이라고 생각했음을 알 수 있다. 그러나 이는 앞서 말한 것처럼 기독교 고유의 사상이라기보다 신플라톤주의의 영향을 받아 수도원의 기본 지침으로 확립된 것으로 영속하는 피안의 정신세계를 중시하여 이 세상의 육체생활을 거부한 다는 의미를 지닌다.

순종은 자신을 무한히 낮추는 기독교의 근본정신을 표현하는 것으로서 수도원장에 대한 거의 무조건적인 복종이라는 형태로 나타났다. 성 베네딕토의 규율은 이 원칙을 특히 강조하여 수도원장에게 큰 권한을 부여했지만 한편으로는 수도사들의 정신적인 안녕과 성장에 대한 책임을 중대한 의무도 지웠다.

수도사가 되고 싶은 신자들은 수도원에 들어가는 조건으로 가지고 있던 모든 재산이나 물건을 수도원에 봉납하거나 가난한 사람들에게 나누어주고, 수도원에 있는 한 아무것도 소유하지 않는다는 것이 가난의 원칙이다. 그러나 가난은 수도사 각 개인에게만 해당되는 원칙이었지 수도원 자체에 해당되는 것은 아니었다.

수도원이 생기기 시작했을 때부터 왕이나 귀족은 수도원 설립에 중요한 역할을 했다. 그들은 성당 건축을 비롯하여 수도원 운영에 경제적인 후원을 아끼지 않았다. 예컨대 프랑스 캉에 있는 두 개의 수도원, 생테티엔 수도원과 수녀원은 각각 노르망디 영주인 윌리엄 1세와 그의 아내인 마틸드가 지은 것이고, 클뤼니 수도원은 로마네스크 시대에 부유하고 발달했던 아키텐 공국의 공작 기욤 1세Guillaume Ier d'Aquitaine 875~918가 910년에 설립했다. 그 이후 클뤼니 수도원의 세 번째 성당 건축에 드는 비용의 절반을 부담한 것은 이슬람 왕국들을 제패하여 부를 축적한 에스파냐의 레온-카스티야 왕국의 알폰소 6세Alfonso VI de León 1047~1109였다.

수도원은 왕이나 귀족의 후원 말고도 여러 가지 수입원을 두고 있었다. 사람들은 죽으면서 자신의 재산을 수도원에 남겼고, 자신과 가족들의 사후 영혼의 구원을 위해 기도를 부탁하면서 돈을 기부했다. 물론 수입의 십 분의 일을 바치는 '십일조'도 있었다. 그래서 많은 수도원이 넓은 영토를 가진 대지주이기도 했다. 이 영토를 경작하기 위해 농부와 노동자가 필요했는데, 이들이 수도원 내부의 일까지 맡아 하는 경우도 많았다.

한마디로 말해 수도사 개개인은 외부와 단절되어 있었지만, 수도원은 사회와 밀접한 관계를 맺고 있었던 것이다.

수도원 건물

처음 수도원은 수도사 각자가 혼자 거주하는 방이나 토굴 같은 것의 집합체였을 뿐이었다. 이집트에는 그런 수도원이 수백 개가 있었고, 수도원 근처에는 수도사들의 기본적인 생활이 가능하도록 다양한 일을 맡아서 해주는 공동체가 생겨 마을을 이룰 정도였다고 한다. 당시 많은 사람들은 곧 세계의 끝이 오리라 믿었다는 역사적 사실을 염두에 두지 않으면 현대인으로서는 이런 문화 현상을 이해하기 어려울 것이다.

성 베네딕토는 성 바실리오처럼 수도사들의 공동생활을 적극 권고했다. 따라서 로마네스크 양식의 베네딕토 수도원들은 비슷한 기능을 하는 비슷한 구조로 되어 있다.

수도사들이 일상생활을 하는 부속 건물은 대개 햇볕을 잘 받아 밝고 따뜻한 남쪽의 성당 옆에 붙여 지어졌다. 수도사들은 이른 새벽에 시작하여 저녁까지 하루에 대개 일곱 번 함께 모여서 '성무일도聖務日禱'를 바쳐야 했기에 수도원은 성당의 출입이 편리한 곳에 있어야 했던 것이다. 특히 자정 직후의 '마투티눔Matutinum'이나 해 뜨기 직전의 '라우데스Laudes'를 위해서는 성당 안으로 빨리 들어갈 수 있도록 수도원의 공동침소에서 성당의 익랑으로 바로 연결되는 계단도 있었다.

수도원 건물에서 가장 중요한 곳은 '챕터하우스chapter house'였다. 챕터하우스는 독립적으로 떨어져 있는 공간이 아니라 수도원 건물 내부에 위치한 큰 홀과 같은 곳으로서 여기에서 수도원장과 모든 수도사들이 함께 모여 매일 성 베네딕토의 규율을 한 장chapter씩 낭독하고 수도원의 여러 문제를 논의했다. 또한 아침마다 종교적 혹은 일상적 문제에 대한 수도원장의 지시가 하달되고, 중요한 손님을 공식적으로 맞이하고, 규율을 어긴 수도사에게는 체벌이 가해졌다. 이렇듯 중요한 역할을 하는 곳인 만큼 홀의 내부는 일상생활이 이루어지는 수도원의 다른 영역보다 장식이 잘되어 있다. 실내 벽 주위로는 높은 돌계단이 설치되어 있는데, 수도사들이 앉는 의자 역할을 했다.

그 밖에는 일상생활이 이루어지는 방이나 건물이 있는데, 대개 동쪽 챕터하우스 위의 2층에는 공동침소, 남쪽에는 공동식당, 남서쪽 모퉁이에는 부엌, 서쪽에는 저장소와 손님방, 수도원장의 방 등이 위치해 있다. 이 중 겨울에 난방이 되는 방은 '난방실' 딱 하나로, 아주 추울 때 일을 하든가 병든 수도사를 수용하는 데 쓰였다고 한다.

가장 기본적인 이 방들이 사각형의 중정을 둘러싸고 있고, 방들 바깥 쪽에 그 외의 다른 기능을 하는 구조물들이 덧붙여지거나 독립적으로 지어졌다. 환자를 위한 진료소, 필경

르토로네 수도원의
챕터하우스
프랑스 | 르르토로네
수도사들이 앉도록 돌계
단이 벽에 붙어 지어져
있다.

실바칸 수도원의
공동침소
프랑스 | 라로크당테롱

공동침소는 대개 2층에 있었다. 중간에 있는 구조물은 아래로 내려가는 계단 입구이다.

사들이 작업하는 '필사실' 등이 여기에 속한다.

시토회 수도사들은 속세와 많이 떨어져 경작이 안 된 땅을 개간하면서 자급자족 생활을 추구하였다. 따라서 그들의 수도원 건물에는 부속 건물이 더 많이 필요했다. 방앗간, 대장간뿐만 아니라 수도원의 일을 도맡아서 하는 평수사들의 거처도 있어야 했다. 수도원 건물 밖으로는 곡식과 채소를 경작하는 농경지, 농장 가축들을 위한 목초지, 과수원, 물고기를 잡을 수 있는 연못, 양초와 꿀을 얻기 위한 벌집 그리고 지역에 따라 포도주 생산을 위한 포도밭이 있었다. 수사들의 옷을 짓는 옷감 자체는 수도원에서 만들기 어렵기 때문에 옷감 상인들에게서 사거나 도시로 나가서 구했다. 참고로 베네딕토회 클뤼니 수도원 수사들은 겸허와 순종을 상징하는 검은색을, 시토회 수사들은 순수를 상징하는 흰색의 수사복을 입었다.

수도원 안뜰

챕터하우스와 함께 수도원에서 가장 중요하게 간주되었던 곳은 안뜰과 안뜰을 둘러싸고 여러 방과 건물 들을 연결하는 회랑이었다. 이곳은 '클로이스터cloister'라고 불리는데, 클로이스터는 '둘러막은 곳'을 뜻하는 라틴어 '클라우스트라claustra'에서 온 말로 넓고 추상적인 의미로 '수도원생활'을 뜻하기도 한다. 수도원 안뜰은 다른 부속 건물이나 방으로 가는 통로이자 엄숙한 제례 행렬의 장소이기도 했다.

회랑은 안뜰을 면한 쪽으로 뚫려 있기는 하지만 기둥 사이에 야트막한 벽이 설치되어 수도사들이 앉아서 기도하거나 묵상하는 곳으로 쓰였다. 당시 수도원에 개인 공간이 없었음을 감안하면 이곳이 수도사들에게 얼마나 중요했을지 짐작할 수 있다.

이렇듯 안뜰과 안뜰을 둘러싼 회랑은 수도원의 분위기가 응축되어 있는 곳이다. 이곳에 들어서면 갑자기 속세가 멀어진 듯한 느낌을 받는다. 이 회랑의 안쪽 면을 건물들이 둘러싸고 있기 때문에 밖의 소음이 차단될 뿐만 아니라 사면을 둘러싼 회랑이 시야를 경계 짓는다. 정신 집중을 하기에 좋은 공간이다. 그 안의 꽃과 과일나무, 약초 등은 지상의 낙원을 상징하고자 했다는데, 침묵과 명상의 일상에서 그런 것들이 얼마나 생생하게 경험되었을까 싶다. 그러면서 이런 지상의 것들은 궁극적인 천상의 낙원을 항상 생각나게 했을 것이다.

오늘날에 안뜰이 남아 있는 수도원은 많지 않기 때문에 수도원 성당을 방문하면 안뜰이 있는지를 확인하고 꼭 안뜰에 들어가보기를 권한다. 한국의 산사에서처럼 조용하고 평화롭고 명상적인 분위기를 맛볼 수 있다. 대개 수도원 안뜰로 들어가는 문은 성당의 남쪽 편(후진을 정면으로 볼 때 오른쪽 편)에 있다.

원주머리 조각

안뜰의 회랑은 아케이드 형태로 되어 있는데, 아케이드의 각 아치는 하나나 두 개의 원주가 받치고 있고 각 원주의 머리에는 예외 없이 여러 형상이 조각되어 있다. 앞서 언급한 것처럼 성당 입구 팀파눔에 조각할 내용은 그 중요성 때문에 종교적인 권위자, 즉 수도원장

쿠샤 생미셸 수도원
Abbaye Saint-Michel de
Cuxa의 전경
프랑스 | 쿠샤

수도원 성당은 10세기에,
종탑은 11세기에, 반쯤 파
괴된 안뜰은 12세기에 만들
어졌다.

무아사크 생피에르
수도원의 안뜰
프랑스 | 무아사크

원주 조각이 많이 남아
있는 것으로 유명한 수
도원이다. 아케이드의
기둥은 단독원주와 쌍
원주가 서로 번갈아가
며 나열되어 있다.

엑상프로방스 생소뵈르
대성당Cathédrale Saint-Sauveur
d'Aix-en-Provence 수도원의 안뜰
프랑스 | 엑상프로방스

안뜰의 원주 조각들이 매우 우아하고
세련된 느낌을 준다. 석회암으로 만들
어진 듯 전체가 새하얗고 기둥 자체도
원형 외에 꼬인 것, 각진 것, 무늬를
넣은 것 등 변화가 많다.

이나 주교가 정했기에 기독교 교리에 관련된 것이 많고, 중세의 세계관을 공유하고 있지 않은 현대인은 그러한 조각에 심적인 거리감을 느끼지 않을 수 없다. 그러나 성당 안팎에 있는 원주나 반원주, 수도원 안뜰에 있는 원주의 조각은 그 내용이 다양해 전혀 다른 느낌을 불러일으킨다. 이 부분의 조각들은 성당 입구 팀파눔의 조각과는 달리 조각가에 의해 상당히 자유롭게 선택되었던 것 같다. 주제가 일률적이었던 그리스, 로마, 르네상스, 신고전주의의 원주 조각에 익숙한 사람들은 다양한 주제가 자유롭게 표현되어 있는 로마네스크 양식의 이 원주 조각을 보면 놀랄 것이다. 그러면 원주머리 조각은 어떤 주제들을 다루고 있을까?

유머러스하게 표현된 성경 이야기

성경 속의 이야기가 당연히 가장 중요하다. 원주에 조각되어 있는 성경의 이야기들은 수도사들이 그 의미를 묵상할 수 있게 하는 역할을 했을 것이다. 앞서 다른 조각이나 후진의 모자이크를 설명할 때 언급했지만 기독교 세계에서 이미지는 사실적이기보다는 개념적이어서 이야기에 중요한 부분은 실제보다 더 과장되게 표현된다.

원주 조각에서는 이런 경향이 더 심했는데, 삼차원으로만 한정되어 있어서 이야기의 장면을 그림에서처럼 평면에 펼쳐놓을 수가 없기 때문이다. 거기에다 밑은 원형인데 위는 정사각형인 특이한 형태여서 이야기의 장면을 효과적으로 조각해 넣는 것이 쉽지 않았을 것이다. 그 결과 심각한 이야기의 내용이 시각적으로는 유머러스하게 표현되어 있는 경우가 많다.

당시의 수도사들도 현대의 나처럼 이 조각들을 재미있게 보았을까? 그 답을 얻을 수는 없겠지만, 수많은 수도원에서 그들의 자취를 만나보니 어쩐지 그들도 그러했으리라는 생각이 든다.

신약의 이야기로는 천사가 마리아에게 예수의 잉태를 알리는 수태고지, 예수의 탄생, 헤로데의 학살을 피해 이집트로 피신하는 요셉과 마리아와 예수, 세례자 요한으로부터 세례를 받는 예수, 죽은 지 나흘이 지난 라자로를 살려낸 예수, 예루살렘에 입성하는 예수, 체포되기 전 제자들과 최후의 만찬을 나누는 예수, 예수의 십자가 고행이, 구약의 이야기로는 선악과, 에덴으로부터의 추방, 하느님의 요구에 아들 이사악을 제물로 바치려는 아브라함, 노아의 방주가 제일 많이 등장한다.

프랑스에서는 무아사크, 엑상프로방스, 실바칸, 세낭크, 피레네 산맥 근처의 쿠샤, 오베르뉴 지방의 르퓌앙벌레, 에스파냐에서는 산후안데라페냐, 산토도밍고데실로스, 산티야나델마르에 있는 수도원들에 안뜰 원주 조각이 많다. 에스파냐의 산후안데라페냐 수도원의 안뜰은 특별히 기억에 남는데, 들어선 터가 독특해서 회랑에 지붕이 없고 조각의 돌 색깔이 다른 곳과는 달리 붉은색이었으며 표현방식이 재미있었기 때문이 아닌가 생각된다. 이유는 잘 모르겠지만 이탈리아에서는 산제노 성당 수도원 외에는 수도원을 보지 못했다.

무수히 변형된 코린트 양식과 식물 모티프

초기 기독교 회당이 대부분 로마 시대 후기에 세워졌던 이탈리아에서는 원주에 성

산후안데라페냐
수도원의 안뜰
에스파냐 | 하카

수도원의 터가 독특해
서 회랑에 지붕이 없
다. 조각의 돌 색깔이
다른 곳과는 달리 붉은
색이며 표현방식이 재
미있다.

산후안데라페냐 수도원의 안뜰 기둥머리
조각
에스파냐 | 하카

천사가 마리아에게 예수 잉태를 알리다(맨
위 왼쪽).
혼인잔치에서 예수가 물을 포도주로 바꾸다
(맨 위 오른쪽).
예수가 죽은 라자로를 살리다(중간 왼쪽).
예수가 에루살렘에 입성하다(중간 오른쪽).
예수가 체포되기 전에 제자들과 최후의 만찬
을 나누다(맨 아래).

경의 이야기가 조각되는 경우가 별로 없었다. 대신 원주를 장식한 것은 로마의 전통을 따라 코린트식 식물 문양이 주를 이루었다. 고대 그리스의 원주 양식은 크게 원주머리에 장식이 없는 도리아식, 두 개의 소용돌이 조각이 우아한 이오니아식, 복잡한 식물 무늬의 코린트식 세 가지가 있었는데, 로마에서는 그중 코린트 양식이 가장 널리 쓰였다.

초기 기독교 회당은 물론이고 시대적으로 거리가 있는 로마네스크 성당에도 폐허가 된 로마의 신전이나 건물에서 뽑아와 그대로 사용한 원주가 많았다. 이것이 너무나 관행적이었기 때문에 이렇게 조달해온 건축요소를 가리키는 '스폴리아spolia'라는 용어가 있을 정도이다. 피렌체의 산미니아토알몬테 성당의 원주들은 모두 스폴리아로 되어 있다.

코린트식 원주머리 조각 문양은 지중해 지방에서 널리 나는 아칸서스라는 성장력이 아주 왕성한 식물의 모양을 딴 것이다. 잎은 크기가 크고 가장자리가 깊이 팬 톱니 모양인데, 그 톱니 모양 하나하나에 똑같은 톱니 모양이 되풀이된다. 꽃은 보라색을 띠며 기다란 꽃대에서 이삭 모양으로 여러 송이가 피는데, 꽃대의 높이가 사람의 키만큼 큰 경우도 있다. 나는 이 식물을 프랑스, 이탈리아, 에스파냐에서 많이 보았다. 로마 시대에는 야생이었겠지만 이제는 재배가 되어 많은 공원이나 수도원의 정원에 심어져 있다.

아칸서스

대개 코린트식 원주머리는 이 아칸서스 잎사귀가 원주로부터 세 개의 층을 이루며 솟아나오는 모양을 하고 있고, 제일 위 사각의 각 귀퉁이에 이오니아식 소용돌이 모양의 잎이 첨가되어 있다.

로마네스크의 코린트식 원주는 매우 사실적인 것에서부터 극단적으로 양식화된 것까지 그 표현이 대단히 다양하다. 성당이 많이 세워지던 당시 다른 양식도 쉽게 찾을 수 있는 것으로 보아 원주머리의 조각은 코린트식이어야 한다는 규제가 있었던 것 같지는 않다. 이탈리아가 옛 로마의 본토였기 때문에 자연히 코린트식 조각이 지배적인 양식이 되었을 것이다.

코린트식은 바탕 디자인의 역할을 했다고 할 수 있다. 거기에다 잎이 밖으로 굽어진 정도나 옆으로 퍼진 방식, 잎의 크기와 수, 잎이 포개진 겹수와 방식, 조각의 깊이, 잎 모양의 변화, 다른 모티프의 삽입 등 그 변수는 그야말로 무궁무진하여 이것만 모아서 다뤄도 책 한 권은 만들 수 있을 정도다.

또 아칸서스와는 완전히 다른, 예컨대 올리브나 월계수 같은 상징성이 큰 식물이나 수도원이 소재한 지방에서만 자라는 식물이 조각된 예도 있다. 그리고 식물처럼 생겼지만 결국은 복잡한 문양이 되어버린 경우도 많다. 이런 추상적인 문양들도 얼마나 다채로운지 모른다.

북구의 영향을 받은 동물 모티프

동물은 성경의 이야기가 주제로 쓰일 때 자연스럽게 등장했다. 예컨대 이사악의 희생에는 희생을 대신하는 양이, 아담과 이브의 이야기에는 이브를 유혹하는 뱀이, 바빌론에 끌

메종카레Maison Carrée의 코린트식 원주머리(위)
프랑스 | 님

아칸서스 잎사귀가 원주로부터 세 개의 층을 이루며 솟아나오는 모양을 하고 있고, 제일 위 사각의 각 귀퉁이에 이오니아식 소용돌이 모양의 잎이 첨가되어 있다. 메종카레는 고대 로마의 건물이다.

엑상프로방스 생소뵈르 대성당 수도원의 안뜰 원주머리 조각(아래)
프랑스 | 엑상프로방스

코린트식 원주와 그 변형들을 잘 보여준다.

산티야나델마르 성당
수도원의 안뜰 원주머리
조각
에스파냐 | 산티야나델마르

식물 문양이 자유롭게 조각
되어 있다.

무아사크 생피에르
수도원의 안뜰
원주머리 조각
프랑스 | 무아사크

식물이 복잡한 문양이
되어버린 듯하다.

려가 궁중의 조언자, 이스라엘 민족의 예언자로 활동한 다니엘의 이야기에는 사자가 나온다.

　　　동물을 주인공으로 등장시켜 인간의 행동이나 성격을 표현한 이야기를 우화 중에서도 특히 '동물우화bestiary'라고 하는데, 동물우화의 전통은 매우 오래되었다. 2세기 그리스 시대에 최초의 우화집이 나타났는데, 이 시기 가장 유명했던 것이 기원전 7세기 그리스인 이솝의 이야기였다. 이솝의 우화 중에서는 까마귀를 우쭐하게 만들어 먹을 것을 뺏어 먹는 여우 이야기, 각기 식사에 초대해놓고 접시와 호리병에 음식을 담아내 서로 먹지 못하게 한 여우와 두루미 이야기가 로마네스크 시대에 인기가 많았던지 이 조각을 여러 번 보았다.

　　　동물우화는 중세를 거치며 성경적 의미가 첨가되어 내용이 더욱 풍부해졌는데, 한 동물이 서너 가지의 의미를 나타내기도 했고, 그 의미들이 서로 상반되기도 했다. 특히 10~12세기에 많이 유행했는데, 기독교 정신이나 교훈에 관계되는 동물들이 돌에 조각되거나 필사본의 그림으로 그려지거나 성당의 전례용품에 새겨졌다. 사자, 독수리, 뱀, 양, 당나귀, 비둘기를 비롯한 새들과 원숭이가 동물우화에 자주 등장하는 편이었지만, 그 외에도 동물우화에 등장하는 동물은 다양했다. 아마도 중세의 조각가들은 결국 이 세상의 동물은 모두 신이 창조하지 않았는가 하는 생각을 가지고 있었던 것 같다.

　　　로마네스크 양식의 조각에는 상상의 동물도 많이 등장한다. 하체는 말이고 상체는 사람인 켄타우로스, 머리 · 앞발 · 날개는 독수리이고 몸통 · 뒷발은 사자인 그리핀, 몸은 새이고 얼굴은 여자인 세이렌은 그리스 시대 때부터 '회자'되어왔다. 그 외에도 사람과 동물 혹은 두 가지 다른 동물이 합쳐져 있거나 완전히 상상적인 동물도 많이 나온다. 이렇게 원주에 동물을 조각하는 것은 켈트족, 게르만족, 노르만족 같은 북구 문화의 영향이라고 할 수 있다.

쿠샤 생미셸 수도원의 안뜰 원주머리 동물 조각(위)

프랑스 | 쿠샤

조각이 꽤 뛰어나며, 강한 돌을 썼는지 조각의 깎음새가 아직도 선명하다. 프랑스 혁명 후 수도원이 폐허가 될 즈음 이 수도원의 많은 원주가 미국으로 팔렸는데, 지금은 뉴욕 메트로폴리탄 중세 미술관 클로이스터에 설치되어 있다.

산티야나델마르 성당 수도원의 안뜰 원주머리 조각(아래)

에스파냐 | 산티야나델마르

우수한 조각이 많다. 쿠샤 것과는 달리 원주가 쌍으로 되어 있고 그 위는 마치 돌이 한 덩어리인 듯 조각이 '펼쳐져' 있다.

동물 조각이 없는 시토회 수도원

8, 9세기에 기강이 흐트러진 수도원들을 개혁하기 위해 10세기에 클뤼니 수도원이 앞장섰던 것처럼 12세기에는 시토회 수도원들이 클뤼니 수도원의 세속적인 변화를 피하여 새로운 수도원운동을 일으켰다.

910년에 설립되고 150년쯤 지난 11세기에 클뤼니 수도원의 생활은 성 베네딕토의 가르침과는 상당히 멀어져 있었다. 수도사들은 앞서 언급한 것처럼 기부자의 영혼 구원과 죄사함을 위한 기도 등 세속의 요구에 따른 활동을 수행하느라 성 베네딕토가 중요시했던 기도와 독서, 노동에 할애할 시간이 거의 없었다. 또한 제례의식을 중시하고 축적된 부가 컸기에 제례에 쓰이는 도구와 복식도 화려해졌다.

이런 상태에 불만을 품고 클뤼니 수도원의 수도사 로베르Robert de Molesme 1028경 ~1111는 1098년에 스무 명쯤 되는 수도사들을 이끌고 나와 프랑스 동부 시토라는 곳에 베네딕토의 규율을 문자 그대로 철저하게 따르는 새로운 수도원을 세웠다. 그러나 시토회를 전 유럽의 수도원운동으로 발전시킨 결정적인 인물은 성 베르나르도Bernard de Clairvaux 1090~1153였다. 클레르보 수도원Abbaye de Clairvaux의 카리스마 넘치는 수도원장으로 제후들을 상대로 2차 십자군전쟁 참가를 선동하기도 했던 성 베르나르도 덕분에 시토회는 인기가 높아졌고 유럽 전역에 수백 개의 지부를 둘 정도에 이르렀다. 그는 다음과 같이 클뤼니 수도원의 조각을 비판했다.

"형제들이 보기에도 우스운 수노원 안뜰의 괴물들, 저 기형적인 아름다움, 저 아름다운 기형이 무슨 소용 있겠는가? 저 부정한 원숭이, 사나운 사자, 괴물 같은 켄타우로스, 반인반수들, 줄무늬 호랑이, 싸우는 기사들 그리고 뿔을 잡고 드잡이하는 사냥꾼들은 또 무슨 목적을 가지고 있는가? 어떤 동물은 머리 하나에 몸이 여럿이고 어떤 것은 몸 하나에 머리가 여럿인가 하면, 여기는 네 다리에 뱀의 꼬리가 달린 괴물이, 저기는 괴물의 머리를 하고 있는 물고기가, 또 여기에는 앞몸은 말인데 뒷몸은 염소인 동물이, 또 저기에는 머리에는 뿔이 달렸지만 뒷부분은 말인 동물이 가득하다. 한마디로 수도사들은 책 대신 이 온갖 형상들을 읽으려 하고, 신의 법칙을 명상하는 대신 저것들이 무엇을 의미하는가를 궁금해하며 하루를 보내지 않는가?"

이런 기록은 사실상 파사드 외에는 조각가들에게 상당한 자유가 주어졌고, 성경 이야기 외의 다른 주제들은 의미보다는 장식을 위해 조각되었을 것임을 추측할 수 있게 한다. 역사를 통해서 볼 때 전통적으로 사용되어온 모티프를 그 의미도 모른 채 흔쾌히 사용했던 장인들을 수없이 만날 수 있다. 따라서 이런 조각들을 볼 때 의미를 모른다고 해서 생경해할 필요가 없다. 성 베르나르도도 모르지 않았는가?

지금 남아 있는 시토회 수도원들 중 제일 오래된 것은 퐁트네 수도원이다. 그래서 마치 성 베르나르도의 경고를 그대로 받아들인 듯 이 수도원 안뜰에는 동물 조각을 전혀 찾을 수 없고 단순한 잎 모양의 조각만 볼 수 있다. 그런데 이 잎 모양이 원주머리마다 모두 다르게 조각이 되어 있다! 수도원장의 지시나 시토회의 원칙으로 석공들은 동물을 조각하지 못하고 단순한 잎 모양만 사용할 수 있었던 것이 확실하다. 그런데 조각가들은 그것으로 만족할 수 없었던지 이 단순한 모티프로 수십 개의 변종을 만들어낸 것이다. 나는 이 조각들을 보면서 천

**퐁트네 수도원의
안뜰 회랑 내부(위)와
외부(아래)**
프랑스 | 마르마뉴

안뜰의 회랑 복도는 천장이
돌로 되어 있고 그 무게를 받
치기 위해서인지 기둥들이
모두 두껍다. 그러나 이조차
시토회 수도원의 '엄격한' 정
신세계를 나타내기 위해 과
장되었는지도 모른다.

년이 지난 후이지만 이걸 만든 석공들이 얼마나 솜씨를 뽐내고 싶었을지 그 마음을 읽을 수 있을 것 같았다.

퐁트네 수도원 안뜰의 아케이드는 매우 육중한 느낌이다. 벽이 두껍고 아케이드 사이사이에 버팀벽이 여러 개 설치되어 있기 때문이다. 따라서 아치를 받치는 기둥은 두 개의 원주가 쌍을 이루고 있거나 반원주들이 두꺼운 기둥의 사면을 두르고 있기도 하다.

르토로네 수도원의 안뜰도 아주 인상적이었다. 회랑의 벽은 매우 두껍고 거기에 뚫린 아치는 마치 벽을 깎아낸 듯 대담하고 육중했다. 하나의 큰 아치가 조금 들어간 두 개의 작은 아치를 둘러싸고 있는데, 그 모서리들이 천 년이 지난 지금도 서슬 퍼렇게 예리했다. 시토회 수도원의 타협 없는 순수함과 엄격함을 시각적으로 이보다 잘 나타내는 것이 또 있을까? 감각적인 것에서 관념의 상징과 은유를 찾는 것은 인간이 근본적으로 가지고 있는 지적 능력이긴 하지만 중세인에게는 지금보다 더욱 보편적인 경향이었다. 그들은 자연물이나 현상이 신의 '책'이라고 생각했고 따라서 그것들의 심오한 의미를 해독해야 한다고 믿었다. 예리한 선과 정신적인 엄격함은 그렇게 하여 쉽게 연결되는 것이다.

전문화하기 시작한 로마네스크의 조각가들

그러나 결국 조각에 대한 규제는 잘 이루어지지 않아, 많은 시토회 수도원에서 동물 문양은 사라졌지만 식물 모티프는 퐁트네 수도원의 것보다 훨씬 복잡하고 풍성해져 안뜰

퐁트네 수도원의 안뜰 원주머리 조각
프랑스 | 마르마뉴

시토회 수도원들 중 제일 오래된 이 수도
원 원주에는 무척 단순한 잎 모양 몇 가
지가 조각되어 있을 뿐 동물은 전혀 등장
하지 않는다. 그런데 이 잎 모양이 원주
머리마다 모두 다르게 조각되어 있다!

르토로네 수도원 안뜰의 회랑
프랑스 | 르르토로네

회랑의 벽은 매우 두껍고 거기에
뚫린 아치는 마치 벽을 깎아낸 듯
대담하고 육중했다. 하나의 큰 아
치가 조금 들어간 두 개의 작은
아치를 둘러싸고 있는데, 그 모서
리들이 천 년이 지난 지금도 서슬
퍼렇게 예리하다.

을 장식하고 있다. 세낭크 노트르담 수도원 안뜰은 그런 원주로 이루어진 회랑이 아름다웠다. 회랑은 각 면에 네 개의 큰 아치가 있고, 각각의 큰 아치는 두 쌍의 원주가 떠받치고 있는 세 개의 작은 아치를 품고 있다. 이렇듯 서른두 개의 원주가 회랑의 큰 아치, 작은 아치 들을 떠받 치며 우아한 리듬감을 빚어내고 있다. 그런데 그 서른두 개의 원주 조각이 모두 다르다. 서른 두 개의 원주뿐 아니라 큰 아치들을 받치고 있는 열여섯 개의 사각 기둥도 모두 조각이 다르 다. 이런 점이 의아하고 재미있어 다른 수도원을 방문할 때 유심히 살펴보았더니 원주마다 모 두 다른 조각을 쓰는 것이 예외가 아니라 관행이었던 것 같다.

　　　도대체 이 다양성은 무엇을 말하는 걸까? 나는 이것이 조각가라는 직업의 발달상을 말해주는 것이라고 생각한다. 당시에는 조각공들이 이후 고딕이나 르네상스의 조각가들처럼 실물 크기의 환조를 만들거나 진정한 의미의 '예술가'로서 인정받지는 못했지만, 그들이 보유 한 고난도의 기술로 석공 중에서 가장 높이 평가받고 전문화되기 시작했던 것이 아닌가 싶다. 어쩌면 고딕 시대에 가서 크게 번성하게 되는 길드의 맹아가 이때 심어졌는지도 모른다. 길드 의 전문화된 분야에서는 기술 경쟁이 활발해져 어려운 디자인을 능숙할 뿐 아니라 다양하게 완성해내는 것이 기술 수준을 가늠하는 한 가지 조건이었는데, 원주머리의 다양한 조각에서 그런 면모를 발견할 수 있기 때문이다.

세낭크 노트르담 수도원의 안뜰
원주머리 조각
프랑스 | 고르드

서른두 개의 원주뿐 아니라 큰 아치들을
받치고 있는 열여섯 개의 사각 기둥도 모
두 조각이 다르다.

6.

로마네스크 건축의
디자인 원리

이 책 전반을 통해 알 수 있듯이 로마네스크 건축은 무척이나 다양하다. 그러나 분명 이 다양성을 관통하는 일반적 특성이 있다. 그렇지 않다면 로마네스크라는 양식을 어떻게 거론할 수 있겠는가? 이 장에서는 로마네스크 건축양식에서 두드러지는 디자인 원리가 어떤 것이 있는지 살펴보고자 한다.

균형이 잘 잡힌 건축학적 형태

로마네스크 양식의 건물 전체 형태는 더 삼차원적이고 '건축학적architectonic'이다. 이것은 단순한 초기 기독교 회당이나 높이가 극단적으로 강조된 고딕 양식과 로마네스크를 구분하는 디자인의 강점이다. 물론 건물이 지나치게 크면 한눈에 전체를 볼 수 없어서 이러한 조화로움이 잘 파악되지는 않는다. 예컨대 툴루즈 생세르냉 성당 같은 건물은 크기가 너무나 커서— 신랑 양옆으로 각각 두 개의 측랑이 있다—전체를 가늠하기가 힘들다. 그러나 주위에 다른 건물이 여럿 덧붙여져 있지 않는 한 로마네스크 성당에는 대부분 이런 면모가 잘 드러나 있다. 특히 피사 대성당처럼 아무리 큰 건물이라도 시야를 막는 구조물 없이 넓은 광장에 서 있으면 로마네스크 양식 특유의 조화미를 선명하게 확인할 수 있다.

조화로운 견실성

로마네스크 성당은 육중한 느낌을 준다. 부정적으로 말하면 무겁고, 긍정적으로 말하면 견실하다. 이러한 인상은 앞서 말한 삼차원적 부피감에서 비롯되는 측면이 없지 않지만, 무엇보다도 창문이 작고 전체가 돌로 지어졌기 때문에 느껴지는 것이다. 고딕 양식에 익숙한 눈에는 이 특징이 부정적으로 보인다. 그러나 로마제국의 건축 전통이 거의 사라져버린 로마네스크 시대의 건축가들에게 돌 궁륭을 안전하게 받쳐야 할 공학적 요구를 충족하는 데 다른 선택의 여지가 없었다.

또한 돌은 영구성, 높은 건축비용으로 인해 새롭게 열렬해진 신앙과 강력해진 교회의 사회적 지위를 상징하기 위해 애용되었을 것이다. 역사적 기록에 의하면 11세기 초부터 건축 붐이 시작되면서 허물거나 고칠 필요가 없는 성당도 돌로 새로 지어졌다고 하니, 이는 당대 사람들이 돌을 공학적 어려움을 초월할 만큼 상징적이고 미적인 가치가 있는 건축재료로 생각했음을 알려준다.

하지만 많은 로마네스크 성당들을 대면하고 받는 첫인상은 무겁다기보다 조화롭다는 것이다. 왜 그럴까? 이런 의문이 나의 로마네스크 답사 여정의 시작이었다. 그 여정 끝에 이른 결론은 로마네스크 건축가들이 이런 부정적 시각 효과를 유발하는 당시 공학 기술의 한계를 인식하고 그것을 극복하기 위해 다양한 디자인 기법을 동원하여 보는 사람의 관심을 성공적으로 돌릴 수 있었기 때문이라는 것이다.

그 증거는 로마네스크 성당 요소요소에서 만날 수 있다. 육중한 벽에 비해 지나치게 작은 창문과 문은 주위를 조각으로 장식함으로써 약점을 멋들어지게 보완했고, 무거운 돌 궁륭을 받치기 위해서는 '복합기둥'을 만들어 돌 궁륭을 안정적으로 지탱하면서도 조형적으로 상승감을 주어 육중한 인상을 덜었고, 버팀벽과 막힌 아치, 반원주나 반각주로는 건축공학적 기능성뿐만 아니라 미적 장식성을 최대로 살리는 리듬감을 만들어냈다. 이외에도 로마네스크 성당 곳곳에서 우리는 로마네스크 건축가들의 우수한 디자인 감각을 찾아볼 수 있다.

조형적 명료성

로마네스크 건축사학자들이 흔히 언급하는 로마네스크 건축의 미적 효과 중 하나는 '아티큘레이션articulation'이다. 아티큘레이션은 원래 음절을 또박또박 잘 들리게 발음한다는 뜻으로 많이 쓰이는 단어인데 건축에 있어서는 각 부분이 잘 분리되어 있어 구조나 디자인이 명료해 보이고 이해하기 쉽다는 것을 뜻한다. 번역하자면 '조형의 명료함' 정도가 될 것이다.

로마네스크 성당의 실내에서는 기둥이 규칙적으로 배열되어 있어 어디가 신랑이고 어디가 측랑인지 단번에 알 수 있고, 반원형의 후진은 장식이 많고 빛이 가장 풍부하게 들어오기 때문에 의식적으로 찾아보지 않더라도 자연스럽게 제례에서 가장 중요한 부분임을 알아보고 주목하게 된다.

고딕 양식의 공간에서는 이런 명료성을 느끼기 어렵다. 특히 전성기에 지어진 고딕 양식의 큰 성당에 들어가면 공간은 넓게 펼쳐져 있고 각 부분들의 경계가 분명치 않다. 십자가의 팔에 해당되는 익랑이 고딕 양식에서는 짧아져서 성당 본체에 거의 붙어 있고, 제실은 벽이 트여 있어 어디가 제실이고 어디가 주보랑인지 가늠하기 힘들다. 이런 공간은 넓고 시원한 인 상을 줄 수도 있지만 대개는 압도감과 길 잃은 느낌을 준다. 반면에 로마네스크 양식의 공간은 어디가 어디인지 분명하기 때문에 자신의 위치를 바로 알 수 있고 공간과 형식을 쉽게 '이해할 수 있다'는 심리적 안정감을 주기 때문에 조용하고 편안한 느낌을 받는다.

처음에 나는 이러한 특징이 건축가들이 의식적으로 선택한 것이기보다는 바실리카 라는 구조 자체에서 얻어진 것이 아닌가 생각했다. 로마네스크 건축가들이 새롭게 도입한 것 이 아니라면 이를 로마네스크 건축의 장점으로 크게 부각하는 것은 옳은 일일까?

그러나 관찰할수록 공간의 명료성은 로마네스크 건축가들이 확실히 의식적으로 도 입한 것이라는 결론에 이르렀다. 넓은 신랑과 폭이 그 반으로 좁은 측랑은 규칙적으로 배열된 기둥으로 분리되고, 기둥의 행렬이 끝나는 곳에 미사에서 제일 중요한 장소인 반원형의 후진 을 두는 것과 같은 내부의 큰 구조는 적어도 원조인 바실리카의 명료성을 이어받았다.

그러나 그 외 거의 모든 면에서 로마네스크 양식의 명료성은 바실리카 양식의 명료 성을 능가한다. 특히 신랑의 벽은 수평적으로 단절 없이 길게 이어지던 바실리카 양식과는 달 리 수직적으로나 수평적으로 잘 나누어져 있는데, 외부에서 보아도 이런 점은 뚜렷이 나타난 다. 바실리카의 외벽은 대개 밋밋한 평면이지만 로마네스크 성당의 외벽은 버팀벽이나 반원 주 혹은 막힌 아치로 나누어져 단조로운 느낌이 전혀 들지 않는다.

위계적 구성

이런 명료성은 건축의 모든 부분이 다 두드러지게 표현되기보다는 어떤 부분은 다른 부분에 종속되도록 구성되어 있기 때문에 더 강해진다. 한국어로 '위계적 구성'이라고밖에 번역할 수 없는 '하이어라키컬 캄퍼지션hierarchichal composition'의 원리는 로마네스크 양식만이 지니는 독특한 미적 장점이 아닐까 생각한다.

성당의 머리 부분에 이러한 위계적 질서가 가장 잘 나타나 있다. 후진과 제실과 주보랑이 분수물이 계단을 타고 내려오는 것처럼 배치되어 있는데, 큰 형태가 작은 형태를 위계적으로 품고 있는 듯하다. 이런 질서 때문에 로마네스크 양식의 건축은 장식이나 구조가 아무리 복잡해도 단정하고 정돈된 느낌을 준다.

어떤 미술사학자들은 로마네스크 양식의 이런 특징에는 사회질서에 대한 중세인들의 관념이 잘 표현되어 있다고 말한다. 중세에는 개개인의 사회적 위치가 태어나면서부터 결정되어 있고, 사회의 조화는 피라미드 같은 위계적인 사회구조 안에서 개개인이 주어진 임무를 다하는 것으로 달성된다고 믿었다. 그런 의미에서 이 시각적 위계질서는 로마네스크 시대에 정점을 이루는 봉건제도의 사회구조를 반영하며 더 나아가서는 천사와 신을 포함한 기독교의 우주관을 반영한다는 것이다.

나는 이 이론이 결코 증명될 수는 없지만 상당히 신빙성이 있다고 생각한다. 앞서 여러 번 거론한 것처럼 중세인에게는 시각적인 것에서 개념의 은유적 표현을 쉽사리 알아채는 경향이 컸기 때문이다.

통일성, 다양성, 대조

　　나는 로마네스크 성당만큼 리듬이 보편적으로 나타나는 예술양식을 본 적이 없다. 나는 '리듬'을 반복에서 비롯된 '통일성'unity과 그 변주인 '다양성'variety이 함께 포함된 개념으로 이해하고, '대조'contrast는 다양성이 극대된 경우라고 해석한다. 건물 내외부에 수없이 반복되는 아치의 반원형은 로마네스크 성당을 시각적으로 통일해주면서 한편으로는 크기의 차이로 다양성을 부여한다. 크기가 서로 다른 후진, 제실, 궁륭, 아케이드, 갤러리, 트리포리움, 창문, 문, 롬바르드 부조의 막힌 아치를 생각해보라! 반원형의 아치는 옛 로마에서 전승된 것이지만, 로마의 문화를 되살리려 했던 르네상스 양식의 건물에서도 이렇게 아치를 유희적이라고 할 수 있을 정도로 다양하고 능숙하게 사용한 예를 찾아볼 수 없다.

　　이러한 다양한 아치는 여러 직선적 요소들과 대조를 이루며 변주를 끌어낸다. 우선 원형과 사각형, 곡선과 직선의 대조를 생각해보자. 하나의 반원과 반원의 양끝을 받치는 두 개의 직선으로 이루어지는 아케이드나 문은 로마의 바실리카나 초기 기독교 회당에도 있었기 때문에 곡선과 직선의 공존이 로마네스크 성당만의 특징이라 할 수는 없다. 하지만 직선과 사각형이 곡선이나 원형과 이루는 대조에 시각적 효과가 있음을 확실히 인식하고 이 요소를 의식적으로 사용한 것은 로마네스크 건축가들이었던 것이 틀림없다.

　　사각형과 원형의 기둥이 묶여 다발을 이루고 있는 복합기둥이 가장 좋은 예다. 게다가 복합기둥에 묶여 있는 이들 기둥은 크기가 다 같은 것이 아니라 어떤 부분은 얇고, 어떤 부분은 두꺼워 복합기둥이 만드는 여러 개의 수직선에 리듬감을 부여한다. 한마디로 로마네스크 양식의 복합기둥에는 통일성, 다양성, 대조라는 디자인의 원리가 모두 구현되어 있는 것이다. 이에 반해 고딕 양식의 전형적인 복합기둥은 대개 크기가 비슷하거나 같은 가느다란 원주들이 다발로 묶여져 있어 리듬감을 느낄 수 없다.

로마네스크 성당에는 사각형과 원형, 직선과 곡선의 대조 외에도 뚫린 것과 막힌 것, 큰 것과 작은 것, 장식이 많은 곳과 없는 곳 등 대조가 풍부하다.

비례감

로마네스크 건축에서 가장 중요한 특징은 비례감이다. 비례는 시각적 요소 간의 상대적인 크기 혹은 길이라고 정의할 수 있다. 역사적으로 가장 오래되고 유명하며 이상적이라고 생각되었던 비례는 소위 '황금비율' 혹은 '황금분할'이다. 수학적으로 'a:b=(a+b):a'라고 표현되는데, 말로 풀자면 긴 변에 대한 짧은 변의 비율이 전체 길이에 대한 긴 변의 비율과 같도록 분할한 것이다. 이 비율의 수학적 수치는 1.6178…이고 이것을 단순화하면 8:5가 나온다.

황금비율로 만든 직사각형이 '황금 직사각형'인데, 가장 아름답다고 하여 그리스 아테네의 파르테논 신전 건축에 사용되었을 뿐만 아니라 이후의 모든 고전주의 건축의 기본 전제로 간주되어왔다. 식물의 가지 분포, 해바라기나 솔방울의 씨방의 성장, 앵무조개의 소용돌이 모양처럼 수많은 자연물에서도 황금비율을 찾아볼 수 있다.

로마의 멸망 이후 로마의 문명은 거의 사라졌지만 황금비율에 대한 지식은 중세의 건축가들 사이에 그대로 이어졌다. 황금비율은 말뚝에 밧줄을 매어 원을 그리는 방식으로 현장에서 손쉽게 활용할 수 있기 때문에 실용적인 지식이기도 했다.

그 외에도 고대 그리스의 피타고라스기원전 580경~기원전 500경가 발견한 단순 비례들이 있다. 피타고라스는 길이가 서로 단순한 비례를 이루는 두 개의 현이 동시에 울릴 경우 조화로운 음정을 만들어낸다는 것을 발견했다. 예를 들어, 두 현의 길이가 1:2인 경우는 한 옥타브 떨어진 같은 음, 2:3인 경우는 5도 음정(도와 솔, 레와 라같이 세 개의 온음과 하나의 반음으로 이루어진 음정), 3:4인 경우는 4도 음정(도와 파), 5:4인 경우는 장3도(도와 미), 8:5인 경우는 장6도(도와 라)의 음정을 만들어낸다. 수많은 자연현상 속에서 발견되는 황금비율, 아름다운 화음을 만들어내는 단순 비율들에 우주의 비밀을 밝혀줄 수학적 원리가 있다고 여기며 그러한 수학적 원리를 통해 만물의 철학적 의미를 탐구한 피타고라스와 그의 학파는 신비주의로 흘렀다.

이러한 피타고라스학파의 영향을 받은 기독교의 세계관에서는 숫자 자체가 큰 상징성을 지니는데, 예컨대 1은 신, 3은 삼위일체, 4는 지상의 세계를 상징하는 식이다. 그러므로 로마네스크 건축가들이 이런 비율을 심각하게 생각하고 적용했으리라는 것은 의심할 여지가 없다.

그러나 정확한 비율을 맨눈으로 알아내기는 힘들다. 대부분의 사람들은 정확한 비율로 구성된 건축물을 보고도 막연히 조화롭다고 느낄 뿐이다. 게다가 이 조화로운 느낌은 길이나 넓이와 같은 시각적 요소들 간의 관계에서 비롯되는 것이라서 색깔처럼 즉각적으로 인식되지도 않고, 정확한 비율에서 한참 벗어난 경우에만 뭔가 이상하다고 느껴질 뿐이다. 로마네스크 건축이 주는 아름다움이 '조용한 미'로 여겨지는 데는 이러한 비례감을 가장 큰 특성으로 삼고 있다는 점이 한몫했을 것이다.

특히 장식적 조각을 두지 않는 시토회 수도원은 각 건축요소 간의 비례를 엄격히 지켰다. 이런 시토회 수도원 건물의 비례를 밝혀내는 연구가 책으로도 나와 있을 정도이다. 그 덕분인지 실바칸 수도원 성당의 파사드를 보면 단순한데도 매우 아름답다는 느낌을 받지 않을 수가 없다.

로마네스크와 고전주의

명료하고 조화로우며 이성적인 아름다움을 '아폴로적인 미'로, 풍성하고 역동적이며 감정적인 아름다움을 '디오니소스적인 미'로 여기는 서양 미학의 관점에서 볼 때 로마네스크의 아름다움은 확실히 아폴로적인 미에 속한다.

서양 미술을 고전주의와 낭만주의로 나눠볼 수도 있는데, 두 조류는 역사를 통해 번갈아가며 나타나는 경향을 보인다. 로마네스크와 고딕, 르네상스 고전주의와 바로크, 신고전주의와 낭만주의가 바로 그 예다.

그러면 로마네스크의 아폴로적인 미와 르네상스나 신고전주의의 아폴로적인 미는 어떻게 다를까? 앞서 나는 로마네스크 양식의 아치가 로마의 아치보다 훨씬 유희적으로 쓰였다고 말했다. 일반적으로 로마네스크와 고전주의는 둘 다 로마의 건축 형태를 빌려왔지만, 로마네스크 양식에서는 그 적용이 훨씬 다양하고 자유롭고 지방색이 강한 것에 반해, 고전주의에서는 좀더 절제되고 규격화되어 있으며 기하학적이다. 원주머리 조각을 예로 살펴보자면, 로마네스크 양식은 놀라울 정도로 다양하지만, 고전주의 양식은 대개 코린트식으로 조각되어 있다. 반인반수, 동물 등 다양한 모티프가 활용되었고 수십 개에 이르는 원주의 조각이 하나하나 다 달랐던 로마네스크 수도원 안뜰 같은 공간은 고전주의 양식의 건축에서는 상상조차 할 수 없다.

이런 차이는 이 두 양식이 도래하게 된 상황과 밀접한 관계가 있다고 생각한다. 로마네스크 양식은 특정인 혹은 특정 집단에 의해 개발된 것이 아니었던 데다 당시에는 건축을 관장하는 전문적인 권위자나 기관이 없었다. 물론 주교나 수도원장이 성당의 건축을 주관하고 건축에 대해 상당한 지식을 소유하고 있는 경우도 있었지만, 교황이나 종교회의 같은 더 상급의 권위로부터 건축방식에 대한 규제가 하달된 적이 없다. 따라서 로마네스크 양식의 건축에는 지방적인 요소가 개입될 여지가 많았는데, 게르만족, 노르만족의 정복과 이주를 통해 북유럽의 동물 형상과 그 양식이 남쪽으로 전파된 것이 그 대표적인 예다. 로마네스크 건축가들이 고전주의 미학을 알고 있었다 하더라도 그것은 법칙이기보다는 지침이었으므로 건축 상황에 따라 자신의 디자인 감각을 발휘한 경우가 많았을 것이다.

이에 반해 르네상스의 건축에 대한 태도는 완전히 달랐다. 르네상스 예술가들은 무엇이 가장 순수하게 로마적인가 하는 것에 대해 관심이 많았고, 고대 로마의 문화를 당대에 부흥시키기 위해 의식적으로 노력했다. 로마의 건축가 비트루비우스Marcus Vitruvius Pollio 기원전 80경~15경가 기원전 1세기에 쓴 『건축론』은 중세에도 수도원의 필사본으로 존재했지만 사회적 상황상 널리 읽힐 형편이 아니었다.

그런데 르네상스 건축가들은 그 책을 재발견해 그 내용을 놓고 끝없이 토론하고 해석하고 그 해석을 책으로 내고 실제 건축에 적용하는 등 집중적인 노력을 기울였다. 로마네스크 시대에 건축이 실용적이었다면, 르네상스 시대에 와서는 이론적이고 지적인 전문 분야가 된 것이다.

로마는 아치와 돔이라는 건축요소를 도입하고 콘크리트라는 건축기술을 발명했지만, 그리스의 건축요소인 원주, 원주 조각, '페디먼트'pediment라고 부르는 삼각형 형태의 지붕 등을 혼합하여 사용했다. 지금도 서 있는 로마의 판테온은 원통형 공간에 돔을 얹은 로마식 본건물과 삼각형 지붕을 여러 개의 원주가 떠받치고 있는 그리스 신전 같은 앞부분으로 이루어져 있다. 뿐만 아니라 로마는 비례, 균형(대칭), 조화 같은 그리스의 미학을 그대로 받아들였기 때문에 비트루비우스의 책은 이런 그리스 미학에 근거를 두고 있었다. 르네상스의 건축가들은 바로 이런 로마의 양식과 미학을 부활할 뿐만 아니라 완벽하게 만들려고 했다.

르네상스 이론이 이탈리아에서 프랑스로 넘어가서 예술이 왕의 지원을 받고 17세기 중반부터 아카데미의 강의에 포함되기 시작하면서 고전주의의 이론과 실천은 완벽 추구를 넘어 법칙 같은 것으로 변했다. 왕권을 타도한 혁명정부도 고전주의를 배척하지 않았을 뿐 아니라, 나폴레옹Napoléon I 1769~1821과 나폴레옹 3세Napoléon III 1808~73 때에는 제국이라는 명색에 걸맞게 바로크적인 화려함이 더해졌다. '보자르École Nationale Supérieure des Beaux-Arts'라고 하는 이 아카데미 교육방식은 유럽의 각국으로 전파되어 고전주의의 시각적 언어를 철저히 습득하여 어느 상황에서나 여러 요소를 혼합하여 고전주의 건물을 지을 수 있는 건축가들을 배출했다.

고전주의 양식의 건물은 전 세계 사람들에게 낯익다. 서울의 국회의사당이나 미국 워싱턴의 국회의사당 등 수많은 공공건물이 이 양식으로 지어졌기 때문이다. 이렇게 고전주의 양식이 범세계적인 것이 된 이유는 서로 상반되는 듯한 이상을 한 건물에 시각적으로 표현해낼 수 있었기 때문이다. 로마가 제국이었기 때문에 고전주의는 정치적 힘을 나타내고자 하는 제국주의의 건축양식으로 적합했다. 그러나 로마는 제국 시대 이전에는 공화국이었고 또 로마의 양식이 그리스의 양식을 포함하고 있었기 때문에 미국같이 공화국이며 민주주의를 추구하는 나라들도 흔쾌히 이 양식을 공공건물의 양식으로 채택했던 것이다.

이런 역사적 배경을 감안하면 왜 근원이 같은데도 로마네스크 양식과 고전주의가 다르게 발전했는가를 이해할 수 있다. 고전주의 건물은 균형이 잘 잡혀 있고 비례가 좋아 위엄이 있고 권위감이 들지만 차갑게 느껴지고 심리적으로 거리감이 든다. 고전주의 양식으로 지어진 공공건물이 대개 압도적으로 규모가 크기 때문인지도 모른다.

로마네스크 양식의 건물도 균형이 잡혀 있고 비례가 좋지만 디자인 원리를 다양하게 활용해서 재미있고 생동감이 느껴진다. 예컨대 큰 것과 작은 것, 아치와 사각형의 대조가 지배적인 고전주의 건물과 달리 로마네스크 양식의 건물에는 다양한 대조가 활용되어 있다. 고전주의 건물에는 반복을 통한 통일감이나 명료성이 더 잘 표현되어 있을지 모르지만 리듬감에 있어서는 로마네스크가 한 수 위다.

그러나 무엇보다도 위계적 구성이 로마네스크 양식의 가장 독특하고 우수한 디자인 원리라고 생각한다. 이를 통하여 로마네스크 건축가들은 로마 시대에는 없던 복잡성을 도입하면서도 그것을 정돈하여 명료한 질서를 보여준 것이다.

로마네스크 건축 용어

- **갤러리**gallery
  2층의 주랑.
- **교차랑**交叉廊, crossing
  성당의 평면도가 십자가 모양일 경우에 몸체와 팔이 만나서 형성되는 사각형의 공간.
- **궁륭**穹窿, vault
  둥근 천장으로 가운데가 높다.
- **기둥**pier
  무게를 받치게 되어 있는 독립된 기둥. 원주보다 두껍고 대개 사각형이다.
- **내진**內陣, choir 또는 chancel
  교차랑과 후진 사이의 공간으로 제단과 성가대가 있는 곳.
- **랜턴 탑**lantern tower
  교차랑 위에 세워진 탑.
- **반각주**pilaster
  반원주처럼 벽에 묻힌 듯한 각진 기둥. 대개 깊이가 얕다.
- **반원주**engaged column
  원주가 반쯤 벽에 묻힌 것 같아 보이는 기둥.
- **배랑**拜廊, narthex
  주 출입구에 현관같이 가로놓인 공간.
- **버팀벽**buttress
  벽과 천장의 무게를 받치기 위해 외부 벽에 덧붙인 기둥.
- **복합기둥**compound pier
  여러 개의 기둥이 합쳐져 있는 것처럼 보이는 두꺼운 기둥.
- **신랑**身廊, nave
  성당의 몸체 부분에 해당되는 회중석.
- **아치**arch
  여러 개의 돌이 서로 옆으로 미는 힘으로 유지되는 문틀

의 윗부분.
- **아치볼트**archivolt
  아치가 겹을 이루는 장식적인 문틀.
- **아케이드**arcade
  아치와 기둥이 반복되는 주랑. 로마네스크 건축에서 아케이드는 1층의 주랑을 의미한다.
- **원주**column
  무게를 받치게 되어 있는 독립된 기둥. 대개 단면이 원형이다.
- **익랑**翼廊, transept
  성당의 평면도가 십자가 모양일 경우에 양팔에 해당되는 부분.
- **제실**祭室, apse chapel
  익랑이나 주보랑에 덧붙여진 반원형의 작은 예배실. 주보랑을 둘러싸고 있는 제실은 '앱시디올apsidiole' 혹은 '방사형 예배실radiating chapel'이라고 한다.
- **주보랑**周步廊, ambulatory
  후진을 둘러싸고 있는 둥근 복도. 지붕은 후진의 지붕보다 낮다.
- **채광층**clerestory
  창문이 나 있는 위층 벽.
- **측랑**側廊, aisle
  신랑을 따라 양편으로 나 있는 복도.
- **트리포리움**triforium
  장식적인 2층 벽.
- **팀파눔**tympanum
  아치로 된 문틀과 직사각형의 문 사이에 있는 반원형의 공간.
- **후진**後陣, apse
  동쪽을 향해 있는 성당의 반원형 머리 부분.

이 책에 나오는 주요 로마네스크 성당

§ 에스파냐

• 발데디오스 산살바도르 성당

발데디오스, 아스투리아스 Asturias | 9세기 말

아직도 벽화의 흔적이 많이 남아 있고, 게르만족인 서고트족 양식의 단순한 원주 조각이 독특한 성당이다. 현재는 11세기경 근처에 새로 지어진 로마네스크 성당이 수도원 성당 역할을 하고 있다.

• 산마르틴데투르스 성당

프로미스타Frómista, 카스티야이레온Castilla-y-Leon | 11세기

랜턴탑이 성당에 비해 크다 싶지만 비율이 좋아 매우 아름다운 성당이다. 익랑이 매우 짧아 측랑 벽과 직선을 이루고 있는 점이 독특하고, 내부의 수많은 원주머리 조각이 유명하다. 성 마르티노St. Martinus Turonensis 316경~397는 4세기 로마의 병정이었는데 후에 프랑스 투르의 주교가 된 인물이다. 칼로 자기 망토의 반을 베어 나누어준 거지가 꿈에 예수로 나타났다는 전설이 있어 이 성인에게 헌정된 성당에는 말 탄 기사가 조각된 경우가 많다. 프랑스에서 가장 사랑받는 성자이지만 이탈리아, 에스파냐에서도 그에게 헌정된 성당이 많다.

• 산티아고데콤포스텔라 대성당

산티아고Santiago, 갈리시아Galicia | 11세기 후반~13세기 초반

예수의 열두 제자 중 한 명인 성 야고보의 유해가 안치되어 있는 성당이다. 성 야고보는 에스파냐가 이슬람 세력으로부터 이베리아 반도를 되찾는 데 정신적 지주 역할을 했다. 수많은 순례자들을 통해 클뤼니 수도원과 밀접한 관계에 있었고, 구조에 있어 프랑스 성당의 영향을 많이 받은 성당이다. 산티아고데콤포스텔라 대성당과 산티아고 순례길은 유네스코 세계문화유산으로 지정되어 있다.

§에스파냐

• 산티야나델마르 성당

산티야나델마르, 칸타브리아Cantabria | 11~12세기

4세기 초에 순교한 성녀 율리아나St. Juliana의 유골이 안치되어 있는 성당이다. 율리아나는 터키 지방의 기독교도였는데 기
독교가 공인되기 바로 전 갈레리우스 황제Galerius Maximianus, 250경~311의 대박해 때에 이교도와 결혼하기 거부했기 때문에
참수형 당했다. 성당은 성곽처럼 육중해 보이고 수도원의 조각들도 섬세하다기보다는 강건한 느낌이다. 마을이 중세의 모습
을 간직하고 있고 근처에 알타미라 동굴이 있어서 사람들이 많이 찾는다.

• 산페드로로데로다 수도원 성당

히로나Girona, 카탈루냐Cataluña | 11세기 초반

에스파냐 동쪽의 산 정상에서 지중해를 내려다보고 있는 수도원은 역사의 시련으로 많은 부분 폐허가 되어 있다. 11세기 초
반에 지어진 성당은 초기 로마네스크 양식인데, 신랑의 터널형 궁륭은 이슬람의 영향인지 말발굽 모양으로 길다. 두꺼운 사
각기둥들이 이 돌 천장의 무게를 지지하고 있는데 원주가 궁륭의 아치를 받치고 있어 그 육중한 느낌을 덜어준다. 천장이 신
랑만큼이나 높고 부분 아치가 받치고 있는 측랑이 버팀벽의 역할을 하고 있다.

• 산후안데라페냐 수도원 성당

하카Jaca, 아라곤Arangon | 10세기 초반, 안뜰은 12세기 후반

이슬람 세력의 침입에 대처하기 위해 큰 절벽과 동굴에 의지하여 지어진 수도원이다. 중세에 아라곤 왕국의 중요한 수도원
으로서 아라곤 왕국과 나바르 왕국의 왕들이 묻혀 있다. 10세기 초에 지어진 성당은 비교적 단순하나, 지붕 없는 아케이드로
이루어져 있는 수도원 안뜰은 12세기 후반에 지어져 성숙한 로마네스크 양식의 조각을 많이 볼 수 있다.

§ 에스파냐

• 카르도나 산비센테 성당

카르도나, 카탈루냐 | 11세기 초반

높은 언덕에서 카르도나 성곽의 동쪽 부분을 이루며 주변 산야를 내려다보고 있는 성당이다. 카르도나 성은 소금광산으로 유명한 이 지역을 지키기 위해 지어졌다고 한다. 외부는 롬바르드 부조로 장식되어 있어 롬바르디아 석공들의 영향을 보여 준다. 내부도 역시 벽돌처럼 깎은 돌을 사용했고 장식이 없어서 단순한데도 정말 아름답다는 느낌을 준다.

• 타울 산클레멘테 성당

발데보이Vall de Boí, 카탈루냐 | 12세기 초반

카탈루냐 지방의 산악 지역인 발데보이의 작은 성당들 중 하나로 전형적인 조그마한 교구 성당이다. 후진의 벽화가 유명하다. 발데보이의 성당들은 모두 소재 지방에서 얼마든지 구할 수 있는 돌로 만들어졌고, 그 깎인 모양이 완전하지도 않고 크기가 일정하지도 않다. 발데보이의 작은 성당들은 유네스코 세계문화유산으로 지정되어 있다.

§ 이탈리아

• 몰페타 산코라도 대성당

몰페타, 풀리아Puglia | 12세기~13세기

예루살렘 순례 후 몰페타에 머물면서 많은 기적을 행한 복자 콘라도Conradus 1105~55경에게 헌정된 성당이다. 신랑이 세 개의 돔으로 덮여 있어 비잔틴 문화권의 영향을 보이나, 모자이크로 덮이지 않은 내부에는 로마네스크 양식의 구조와 형태가 잘 드러나 있다. 복구 과정에서 후대에 덧붙여진 부분들이 제거되었는데, 성당 앞에 복구 전후의 사진이 전시되어 있다. 십자군이 팔레스타인을 향해 떠나는 주요 항구였던 몰페타는 십자군전쟁이 끝난 후 쇠퇴했다.

§ 이탈리아

• **바리 산니콜라 성당**

바리, 풀리아 | 12세기 후반

가톨릭 성당 중 유일하게 정교식 미사도 행해지는 성당이다. 성 니콜라오는 지금의 터키 지방의 성자로서 그 지역에 묻혔으나 오스만튀르크가 이곳을 지배한 후 은밀히 옮겨와 바리에 안치되면서 성당이 세워졌다. 그는 원래 정교의 성자였으므로 동유럽과 러시아에서 많은 순례자들이 이 성당을 찾아온다.

• **모데나 대성당**

모데나, 에밀리아로마냐Emilia-Romagna | 11세기

후진이 세 개인 이탈리아의 성당들 중에 외부 구성이 매우 뛰어난 성당이다. 내부의 벽은 벽돌로 되어 있고 제단은 계단을 통해 올라가게 되어 있다. 많은 이탈리아 성당들처럼 이곳에서는 아직도 예배가 행해진다.

• **산미니아토알몬테 성당**

피렌체, 토스카나Toscana | 11세기~13세기

로마 병정으로 기독교 개종 후 동료에게 신앙을 전파하다 참수형 당한 성 미니아St. Miniatus ?~250경의 유골이 안치된 성당이다. 토스카나 지방에서는 비교적 초기에 지어진 이 성당은 피렌체에서 제일 높은 곳(알몬테는 이탈리아어로 '산 위의'라는 뜻)에 있어 계단을 한참 올라가야 한다. 여느 이탈리아 성당과 마찬가지로 나무 지붕, 단독원주, 신랑에서 들어가게 되어 있는 성골소, 2층 높이의 제단이 특징이다. 비율이 뛰어나고 실내 모자이크 벽 무늬가 아름답다.

§ 이탈리아

• 산제노 성당

베로나, 베네토Veneto | 10세기 후반~12세기

성 제노St. Zeno 300~371경는 가톨릭 성당과 그리스 정교 양쪽에서 성인으로 인정한 4세기의 주교이자 순교자이다. 성당 내부의 원주와 바닥은 현지에서 나는 분홍색 베로나 대리석이 많이 사용되어 시각적으로 따뜻한 느낌을 준다. 반지하의 넓은 성골소와 그 위의 제단이 매우 인상적이다. 제단 주위로 실물 크기의 돌 조각상이 여러 개 서 있는데, 그 사실적인 양식으로 보아 르네상스 이후에 만들어진 것이 확실하다. 산제노 성당과 베로나 구시가는 유네스코 세계문화유산으로 지정되었다.

• 산타본디오 성당

코모Como, 롬바르디아Lombaradia | 11세기 후반

전형적인 바실리카 형식의 성당으로 5세기 코모의 주교 성 아분디오Sant Abundus ?~469의 유물을 보유하고 있다. 신랑 주위로 두 쌍의 측랑이 있어 규모는 큰 편이다. 후진을 온통 덮고 있는 14세기 중반의 벽화가 아름답다. 아케이드 벽에도 벽화가 그려진 흔적이 있다.

• 산탄티모 수도원 성당

몬탈치노Montalcino, 토스카나 | 12세기 전반

지금은 포도주로 유명한 이탈리아 중부 몬탈치노에 거점을 둔 수도원 성당이다. 로마의 성자였던 성 안티모St. Anthimus ?~303의 유골이 9세기에 옮겨져 와서 수도원이 형성되었다. 처음부터 프랑스 카롤링거 왕조의 후원을 받았기 때문인지 이탈리아에서는 흔하지 않은 주보랑과 제실이 있어 프랑스 로마네스크 성당 같은 느낌을 준다. 12세기에는 많은 부속 수도원들을 거느리고 토지를 소유한 강력한 수도원이었으나, 남쪽으로부터 시에나가 세력을 확장하면서 수도권을 잃고 쇠퇴하였다. 지금은 작은 수도원 단체가 이곳을 운영하고 있다.

§ 이탈리아

• 산탐브로조 성당

밀라노Milano, 롬바르디아 | 11세기 후반~12세기

성 암브로시오St. Ambrosius 340경~397는 서방 교회의 4대 교부로 추앙받는 성인으로 가톨릭 역사에서 중요한 인물이다. 대개 벽돌로 지어졌는데, 성당 외부와 두 개의 종탑은 롬바르디아 벽돌공의 솜씨를 잘 보여준다. 두 성직자 단체가 이 성당을 같이 사용했기 때문에 두 종탑의 높이, 양식이 다르다. 내부는 벽돌, 돌, 석회벽으로 되어 있어서 통일성이 없다는 느낌을 준다. 후진에는 '세계의 심판자로서의 하느님'을 묘사한 13세기 모자이크가 있고, 제단 주위로 바리 산니콜라 성당처럼 성소가 설치되어 있다.

• 트라니 대성당

트라니, 풀리아 | 12세기, 종탑은 13세기 전반

순례자 성 니콜라오St. Nicola il Pellegrino 1075~94에게 헌정된 성당으로 트라니 항구의 바닷가에 서 있다. 이 성당은 5세기의 성당 위에 세워져서 높이가 높고 전에 있던 포르티코가 없어져 서쪽 입구 면은 구성이 약해 보인다. 라틴 십자가형보다는 T 자형이라고 할 만큼 익랑이 지배적이고, 세 개의 후진은 매우 얕아 장식으로 만들어진 것 같다. 신랑의 원주도 쌍으로 되어 있어 독특하다.

• 피사 대성당

피사, 토스카나 | 11세기 후반~14세기 전반

'기적의 광장Piazza dei Miracoli'이라고 불리는 넓은 광장에 성당과 종탑 외에도 세례당과 묘지가 모여 있다. 피사는 첫 십자군 전쟁에서 성공하여 많은 부를 축적하였으므로 대성당은 매우 화려하게 지어졌다. 성당의 내외부는 마름돌 대리석으로 되어 있고 조각 장식이 많다.

§ 프랑스

• 르토로네 수도원 성당

르토로네, 프로방스-알프스-코트다쥐르Provence-Alpes-Côte d'Azur |
12세기 후반~13세기 초반

수도원 성당과 안뜰은 석공 기술이 탁월하고 비율이 잘 맞아서 매우 깊은 인상을 준다. 순수함, 절제, 엄격함 같은 시토회 수
도원의 정신을 제일 잘 나타낸다고 여겨지는 수도원이며, 추상적인 조형미가 뛰어나기 때문에 많은 현대 건축가들이 사랑한
중세 건물이다. 프랑스혁명 후 개인에게 팔렸다가 지금은 프랑스 정부가 관리한다. 만약 시토회 수도원을 딱 하나만 방문한
다면 이 수도원을 권하고 싶다.

• 르퓌앙벌레 노트르담 대성당

르퓌앙벌레, 오베르뉴-론-알프스Auvergne-Rhône-Alpes | 12세기 전반

이 성당은 르퓌앙벌레의 가장 높은 곳에 위치하여 많은 계단을 올라가야 한다. 흰색의 사암, 고동색과 검은색의 화성암으로
된 서쪽 주 출입구 면은 매우 다양한 크기의 막힌 아치와 열린 아치로 구성되어 다른 곳에서 볼 수 없는 독특한 디자인을 보
여준다. 신랑 천장은 팔각형의 돔같이 생겼으며, 내진과 익랑은 터널형 궁륭이다. 산티아고로 가는 순례자들이 모여서 떠나
는 출발점으로 중요한 성당이었다. 수도원 안뜰의 조각은 놀랄 정도로 다양한데, 이것은 19세기에 로마네스크의 본을 따르
거나 '로마네스크 양식'으로 재현된 것이 많아서 이 책에서는 다루지 않았다.

• 리셰르 생드니 성당

리셰르, 누벨아키텐Nouvelle-Aquitaine | 12세기 전반

3세기 파리의 주교였으나 참수형으로 순교한 성 디오니시오St. Dionysius에게 헌정된 성당이다. 성 디오니시오는 성 마르티노
와 함께 가장 사랑받는 프랑스의 성인이다. 이 성당은 리셰르에서 좀 떨어진 곳에 서 있는데, 18세기에 종탑이 무너지면서
다른 부분도 많이 손상되었다. 그것을 1907~1909년에 개축했는데, 종탑을 새로 세우면서 낮았던 익랑의 천장을 신랑과
같은 높이로 높인 것이 가장 중요한 변화였다. 내부나 외부에 조각이 많고, 작은 성당임에도 불구하고 팀파눔에 조각이 되
어 있다.

§ 프랑스

• 멜 생틸레르 성당

멜, 누벨아키텐 | 11세기

푸아티에의 주교이자 신학자였 성 힐라리오St. Hilarius 310경~368경에게 헌정된 성당이다. 로마 시대 때부터 은 광산으로 유
명했으며 유네스코 세계문화유산인 성 야고보 순례노선 상에 있는 도시, 멜에는 로마네스크 성당이 세 개나 있지만 이 성당
이 제일 크다. 실내외에 많은 조각이 있는데, 흰 대리석판이 물결치는 듯한 후진 앞의 제단은 현대 디자이너 마티외 레아뇌
르Matieu Lehanneur의 작품이다.

• 무아사크 생피에르 수도원 성당

무아사크, 옥시타니Occitanie | 11세기

유네스코 세계문화유산인 산티아고 순례노선에 속한 성당이다. 트뤼모 조각이 독특하다. 수도원 안뜰은 76개의 서로 다른
원주 조각으로 널리 알려져 있는데, 반 정도는 성경이나 성자들의 이야기이고 나머지 반 정도는 여러 가지 식물 문양이다. 식
물 문양 조각이 성경 이야기 조각보다 온전히 남아 있는 편인데, 복구하기 비교적 쉬웠던 탓으로 여겨진다. 프랑스의 수도원
안뜰 중에서 원주 조각이 제일 많은 곳이다.

• 베즐레 생트마리마들렌 대성당

베즐레, 부르고뉴-프랑쉬-콩테Bourgogne-Franche-Comté | 11세기

성녀 마리아 막달레나Maria Magdalena 1세기의 유물이 있어 산티아고 순례길의 중요한 순례성당이 되었다. 2차 십자군전쟁
때 집결지로 중요한 역할을 했으나 프랑스혁명을 겪고 19세기 초에는 거의 허물어질 지경까지 이르렀다가 19세기 중반 대
규모의 개축이 이루어져 지금에 이르렀다. 전형적인 바실리카는 아니지만 2층으로 되어 있고 비례가 매우 좋으며 고딕 양
식의 후진 때문에 내부가 밝다. 지금은 작은 수도원 단체가 이 성당을 관리하고 있으며 미사도 정기적으로 행해지고 있다.

• **보셰르빌 생조르주 수도원 성당**

생마르탱드보셰르빌Saint-Martin-de-Boscherville, 노르망디Normandie |
12세기 초반

노르망디에 있는 이 성당은 많은 점에서 캉 생테티엔 수도원과 캉 수녀원 성당을 닮았다. 파사드는 두 개의 첨형 탑이 양옆에 높이 솟아 있는 점에서 캉 생테티엔 수도원 성당과 비슷하고 내부는 부드러운 크림색의 석회암 돌과 아름다운 트리포리움 때문에 캉 수녀원 성당과 매우 비슷한 인상을 준다. 비교적 창문이 넓어 밝은 편인데 처음에는 천장이 나무로 되어 있었기 때문이라고 한다. 13세기에는 고딕 천장으로 대체되었다.

• **생길렘르데제르 수도원 성당**

생길렘르데제르, 랑그독-루시용Languedoc-Roussillon | 11세기 중반

작은 중세 마을 생길렘르데제르가 수도원을 둘러싸고 있다. 아키텐 공국의 공작이자 샤를마뉴의 기사인 기욤Guillaume de Gellone 750경~815경이 말년에 이곳에 머물던 중 804년에 이 수도원을 설립했다. 지금의 수도원 건물은 산티아고로 가는 순례자들의 기부금으로 지어졌다. 외부는 대단히 큰 후진이 인상적이고 내부는 장식 없이 엄숙한 느낌을 준다. 수도원 안뜰의 원주와 조각은 거의 모두 미국의 클로이스터에 옮겨져 있다. 성당 이름 중 '르 데제르le Désert'는 사막이라는 뜻인데, 정신적 엄격함을 표현하는 은유로 쓰였다.

• **생넥테르 성당**

생넥테르, 오베르뉴-론-알프스 | 12세기

성 넥타리오Nectaire d'Auvergne는 성 아우스트레모니오St. Austremonius와 동시대인 3세기의 인물로 둘은 함께 오베르뉴 지방에 기독교를 전파했다. 이 성당은 성 넥타리오의 무덤이 있는 산등성이에 세워졌는데 색이 옅고 질이 고운 회색의 화성암인 조면암으로 전체가 구성되어 있어 통일감이 있다. 후진 외부의 꽃 모양 모자이크가 아름답고 내부 원주나 반원주의 머리는 성경 이야기로 조각되어 있는데 76명의 인물이 등장한다고 한다.

§프랑스

• 생마르탱드롱드르 생마르탱 성당

생마르탱드롱드르, 랑그독-루시용 | 11세기

신랑 하나를 세 개의 제실이 90도 각도로 둘러싸 클로버 형을 이루고 있는 구성이 독특한 작은 성당이다. 특히 중앙의 천장은 사각형에서 원구로 전이되며 돔이 되는데 다른 구조물의 도움은 전혀 없이 오직 돌로만 매끄럽게 곡면을 구현해내는 놀라운 기술을 보여준다. 주위 마을은 중세 모습을 그대로 가지고 있는 매력적인 관광지다.

• 생사뱅 수도원 성당

생사뱅쉬르가르탕프Saint-Savin-sur-Gartempe, 누벨아키텐 |
11세기~12세기

가르탕프 강가에 위치한 홀 성당이다. 단독원주들이 터널형 궁륭을 받치고 있고, 궁륭에는 구약의 이야기들이 벽화로 묘사되어 있는데 프랑스에서 가장 보존이 잘된 로마네스크 벽화로 알려져 있다. 실내는 모두 채색되어 있는데, 그 패턴이 로마네스크 시대의 것인지는 확실치 않다. 원주는 대리석 무늬처럼, 벽은 흰 벽돌과 붉은 모르타르로 만들어진 것처럼 채색되어 있다. 비교적 밝고 은은한 색채로 실내가 매우 아름답다.

• 생트 생퇴트로프 성당

생트, 누벨아키텐 | 12 세기

3세기 생트의 첫 주교로 순교했던 성 에우트로피오St. Eutropius의 유골이 안치되어 있어 중요해진 순례성당이다. 성당은 11세기에 지어졌지만 엄청나게 큰 탑은 15세기의 것이다. 무엇보다 유골을 안치하기 위해 높게 지어진 성골소로 유명하다. 성골소 원주 조각들은 다른 성골소 그 어디에서도 볼 수 없을 만큼 독특하고 아름답다. 생트는 로마 시대 때부터 번성한 도시라 근처에 로마 원형극장의 유적이 있으며 중세에는 아키텐 공국의 수도이기도 했다.

• 샤페즈 생마르탱 성당

샤페즈, 부르고뉴-프랑쉬-콩테 | 10~11세기

클뤼니의 영향을 받아 이른 시기에 지어진 성당이다. 투르뉘 생필리베르 수도원 성당처럼 원주에 조각이 없고 소박한 느낌을 준다. 롬바르드 양식으로 익랑이 없는 교차랑 위에 세워져 있는 종탑은 성당 건물에 비해 비율에 맞지 않을 정도로 높은데, 이탈리아의 캄파닐레를 생각나게 한다.

• 세낭크 노트르담 수도원 성당

고르드Gordes, 프로방스-알프스-코트다쥐르 | 12세기 후반

13~14세기에 대단히 번성했던 수도원의 이 성당은 터 모양 때문에 성당의 머리 부분이 북쪽에 있다. 프랑스혁명 후 수도원이 해체되고 건물은 개인에게 팔렸으나 나중에 수도사들이 다시 매입하여 라벤더 꽃을 가꾸고 양봉을 하며 생활하고 있다. 르토로네 수도원, 실바칸 수도원과 함께 '프로방스의 세 자매'라고 불리는데, 그중 부속 건물이 제일 많이 남아 있는 수도원이다.

• 아를 생트로핌 대성당

아를, 프로방스-알프스-코트다쥐르 | 11세기 후반~12세기 전반

3세기 아를의 첫 주교 트로피모Trophimus에게 헌정된 성당이다. 원래는 대성당이었으나 지금은 교구성당이다. 프로방스가 옛 로마의 지방이었기 때문에 로마의 개선문 같은 구조에 조각이 많이 되어 있는 서쪽 입구가 매우 유명하다. 다른 성당의 조각보다 사실적인데, 팀파눔과 아치볼트의 조각이 특히 우수하다. 수도원 안뜰도 원주 조각으로 많이 장식되어 있는데, 절반은 12세기에 지어져 터널형 궁륭 · 반원형 아치로 로마네스크 양식을 보이고 절반은 14세기에 지어져 첨형 아치 · 교차형 궁륭으로 고딕 양식을 보인다.

§프랑스

- 올네 생피에르 성당

올네, 누벨아키텐 | 12세기 초반

다른 서부 지방의 성당들처럼 고딕 시대에 개축되어 성당 본체에 비해 종탑이 유난히 크다. 종탑의 조각 장식은 로마네스크 양식을 따르고 있어 크기 외에는 본 건물과 조화를 이루고 있는 편이다. 성당의 창문과 문의 조각은 그 섬세함으로 유명하고 처마 밑이나 박공을 따라 기이한 동물 조각이 많이 있어 눈여겨볼 필요가 있다.

- 이수아르 생토트르무안 성당

이수아르, 오베르뉴-론-알프스 | 11세기 후반~12세기 전반

성 아우스트레모니오St. Austremonio di ClermInt 4세기에게 헌정된 성당이다. 교차랑과 익랑의 부분이 탑처럼 높아진 직사각형 구조 위에 팔각형의 랜턴탑이 얹혀 있는데, 이는 오베르뉴 지방에 있는 성당들에 공통적으로 나타나는 구조이다. 동쪽 머리 부분이 이로써 한결 더 복잡해졌다. 성당 내부에는 전체적으로 오색찬란한 벽화가 그려져 있는데 기둥이나 벽은 기하학적 무늬, 원주는 성경 이야기들로 채색되어 있다. 벽화는 19세기 이전 디자인에 근거하여 복구되었다고 하는데, 강한 색조 때문에 논란이 많다. 11세기에는 그처럼 강한 색조의 염료가 없었을 것이기 때문이다.

- 캉 생테티엔 수도원 성당

캉, 노르망디 | 11세기 후반

'정복왕 윌리엄'이라고 불리는 윌리엄 1세가 짓고 안장되어 있는 수도원 성당이다. 2층의 아치들이 1층 아치들만큼이나 넓은 점이 독특하다. 고딕 양식의 영향을 받아 서쪽에 위치한 두 종탑이 유난히 높고, 많은 프랑스 성당들처럼 동쪽 부분이 고딕으로 개축되어 있다. 윌리엄 1세와 그 아내가 지은 캉 생테티엔 수도원과 캉 수녀원은 그들의 결혼이 친척 관계로 성당법에 어긋나 이를 속죄하는 뜻으로 지어졌다.

• 캉 수녀원 성당

캉, 노르망디 | 11세기 후반

윌리엄 1세의 아내, 마틸드가 지은 수녀원 성당이다. 트리포리움 장식이 특별히 아름답고 흰 석회암 색깔이 은은하다. 캉 생테티엔 수도원 성당보다 확실히 더 섬세하고 아담하며 규모가 작다. 여기에 마틸드의 무덤이 있다.

• 콩크 생트포이 수도원 성당

콩크, 옥시타니 | 11세기 후반~12세기 전반

3세기에 순교한 소녀, 성녀 피데스St. Fides에게 헌정된 성당으로 실물 크기의 금빛 성물 조각상과 서쪽 문 위 팀파눔 부조로 유명하다. 성당은 좁고 깊은 계곡의 매우 외진 곳에 위치하고 있으며, 주변 마을이 중세 그대로 보존되어 있다. 터가 좁았기 때문에 성당은 넓이에 비해 유난히 높고 동쪽에 창문이 많아서 아침에는 실내가 특히 밝다. 산티아고 순례 노선에서 중요한 성당이다.

• 퀴노 노트르담 성당

퀴노, 페이드라루아르Pays de la Loire | 11세기

익랑이 없고 성당 몸체 한쪽에 종탑을 두고 있어 독특한 성당이다. 종탑은 장식적인 작은 아케이드가 계단처럼 층을 이루고 있어 섬세하고 아기자기하다. 홀 성당으로서 측랑이 좁고 높으며 천장까지 솟은 복합 원주들 때문에 수직성이 강하게 느껴진다. 이 성당에는 성 막센시올로St. Maxentiolus 5세기의 유골이 안치되어 있다. 그는 성 마르티노의 제자로, 이 지역에 기독교를 전파하고 최초의 수도원을 세웠다.

§ 프랑스

• **클뤼니 수도원 세 번째 성당**

클뤼니, 부르고뉴-프랑쉬-콩테 | 12세기

10세기부터 일어난 수도원 개혁운동의 중심지로서 전성기에는 전 유럽에 1천 개의 지부 수도원을 두었을 정도로 막강했다. 수도원 공동체가 너무나 커져서 세 번째로 수도원 성당이 지어졌는데, 르네상스 때 성베드로 대성당이 지어지기 전까지는 로마 가톨릭 세계에서는 제일 컸다. 프랑스혁명기 때 파괴되어 지금은 남쪽 익랑과 그 위의 종탑 하나만이 남아 있다. 수도원에 대한 정보가 풍부한 미술관이 운영되고 있어 로마네스크 건축을 좋아한다면 방문할 가치가 있다.

• **탈몽 생트라드공드 성당**

탈몽쉬르지롱드Talmont-sur-Gironde, 누벨아키텐 | 11 세기

대서양으로 나가는 지롱드 강 어귀 절벽 위에 세워진 작은 성당이다. 성녀 라드공드는 원래 6세기 독일 지방의 공주였으나 전쟁으로 어린 나이에 포로가 되어 프랑크 왕국으로 왔다. 궁정에서 좋은 교육을 받고 독실한 신자가 되어 나중에는 여왕이 되었으나 결국 궁정에서 탈출해 나와 수녀가 되었다. 푸아티에에 수녀원을 짓고 봉사했기 때문에 푸아티에에도 그녀에게 헌정된 더 큰 11세기 성당이 있다. 탈몽 생트라드공드 성당은 서 있는 터 때문인지 신랑이 매우 낮으나 로마네스크 양식의 소박한 아름다움을 잘 나타내주고 있다. 탈몽은 매우 작고 아름다운 마을이다.

• **투르뉘 생필리베르 수도원 성당**

투르뉘, 부르고뉴-프랑쉬-콩테 | 11세기 후반~12세기 전반

수도원장이었던 성 필리베르토St. Philibertus 608경~685경의 유골이 노르만족과 마자르족의 침입을 피해 여러 수도원으로 옮겨지다가 마침내 이곳에 안치되었다. 초기 로마네스크 건물로 서쪽 면은 성채처럼 튼튼하다. 이탈리아 건축공의 영향이 보이고 천장의 구성이 독특하여 내부가 밝은 편이며, 분홍색의 작은 돌로 만들어진 거대한 원주들이 인상적이다. 성당은 베즐레 생트마리마들렌 대성당처럼 여러 번 개축되어 지금에 이르렀다.

• 툴루즈 생세르냉 성당
툴루즈, 옥시타니 | 12세기

3세기에 툴루즈의 주교였던 성 사투르니노St. Saturninus에게 헌정된 성당이다. 원래는 수도원 성당이었으나 수도원은 사라지고 남아 있지 않다. 클뤼니 수도원의 세 번째 성당이 파괴된 후 프랑스에서는 제일 컸던 로마네스크 성당이다. 신랑 옆으로 두 쌍의 측랑이 있고, 프랑스에서는 드물게 벽돌이 많이 쓰였다. 교차랑 위의 종탑은 고딕 시대에 개축되어 높아졌는데, 그래서인지 그 무게를 받치기 위해 내부 교차랑 네 귀퉁이에 엄청나게 두꺼운 기둥이 세워져 있다. 신랑과 측랑의 기둥들은 모두 사각형이고 벽돌과 돌로 지어져 기둥머리에 조각이 없다.

• 파레이르모니알 사크레쾨르 성당
파레이르모니알, 부르고뉴-프랑쉬-콩테 | 12세기

프랑스 특유의 주보랑과 작은 제실 들로 동쪽 머리 부분이 복잡한 성당이다. 클뤼니의 한 강력한 수도원장이 클뤼니 수도원의 세 번째 성당을 소규모로 재현하고자 한 결과라고 한다. 따라서 천장이나 아치가 첨형으로 되어 있으며 각주들도 세로로 홈이 파진 디자인으로 클뤼니 수도원의 세 번째 성당과 비슷하다. 실내 벽은 모두 회벽으로 처리되어 있고, 기둥이나 중요한 건축요소들은 옅은 노란색으로 칠이 되어 있다. 여기에도 수많은 순례자들이 찾아온다.

• 퐁트네 수도원 성당
마르마뉴Marmagne, 부르고뉴-프랑쉬-콩테 | 12세기

시토회 수도원으로는 비교적 이른 시기에 지어져서 안뜰의 원주 조각들이 매우 단순하다. 전성기 때에는 3백 명의 수도사들이 있었고 프랑스 왕의 후원을 받기도 했지만, 다른 수도원들처럼 프랑스혁명 이후 몰락하고 버려졌는데 이것을 한 개인이 매입, 복구하여 성당과 많은 부속 건물들이 남아 있다. 수도원 안뜰의 육중한 기둥들과 두꺼운 벽, 단순한 원주머리 조각이 독특하다.

§ 프랑스

• 퐁트브로 노트르담 수도원 성당

퐁트브로라베이Fontevraud-l'Abbaye, 페이드라루아르 | 12세기 초반

이 수도원은 수사와 수녀를 같이 수용하며 수도원장은 항상 수녀가 맡았다. 전성기 때에는 3천 명의 수녀가 있었다고 하는데 13세기부터 쇠퇴하기 시작했다. 프랑스혁명 후에는 국가 소유가 되어 1963년까지 거의 150년간 교도소로 쓰이다가 교도소가 폐쇄된 이후 성당 복구 사업이 시작되어 2006년에 마무리되었다. 지금은 미술관으로 쓰이고 있는데, 제단이 있던 자리에 현대미술의 설치작품이 전시되어 있다.

• 푸아티에 대노트르담 성당

푸아티에Poitiers, 누벨아키텐 | 11세기

푸아티에는 아키텐 공국에서 중요한 도시였기 때문에 성당은 매우 화려하다. 수평 분할되어 유난히 복잡한 조각으로 채워져 있는 파사드는 근처 지방의 다른 성당에도 영향을 주었다. 양옆의 탑도 다른 지역의 성당에서는 잘 볼 수 없는 독특한 면모를 보인다. 홀 성당으로서 실내는 모두 기하학적 무늬의 벽화로 채색되어 있어 매우 인상적이다.

* 산티아고 순례길을 연결하는 푸아티에 대노트르담 성당, 르퓌앙벌레 노트르담 대성당, 생길렘르데제르 수도원 성당, 생사뱅 수도원 성당, 아를 생트로핌 대성당, 베즐레 생트마리마들렌 대성당, 콩크 생트포이 수도원 성당, 무아사크 생피에르 수도원 성당은 유네스코 세계문화유산으로 지정되어 있다. 순례길에 있지는 않지만 퐁트브로 노트르담 수도원도 유네스코 세계문화유산으로 지정되어 있다.

로마네스크 성당·수도원 찾아보기

사진 출처

* 성당명, 저자, 출처 순

2장 로마네스크 성당의 구조와 조형성

랭스 노트르담 대성당	Vassil	위키피디아
산비센테 성당	PMRMaeyaert	위키피디아

부록의 '이 책에 나오는 주요 로마네스크 성당'

르토로네 수도원 성당	Patrick Rouzet	위키피디아
멜 생틸레르 성당	Christophe Vigneron	위키피디아
모데나 대성당	R.montagna	위키피디아
무아사크 생피에르 수도원 성당	불명	위키피디아
바리 산니콜라 성당	Italia1295	위키피디아
베즐레 생트마리마들렌 대성당	Jean-Pol GRANDMONT	위키피디아
보셰르빌 생조르주 수도원 성당	Laifen	위키피디아
산미니아토알몬테 성당	Richardfabi~commonswiki	위키피디아
산제노 성당	Mcarm	위키피디아
산탄티모 수도원 성당	Dongio	위키피디아
산탐브로조 성당	Marco Bonavoglia	위키피디아
산티아고데콤포스텔라 대성당	Luis Miguel Bugallo Sánchez	위키피디아
산티야나델마르 성당	에스파냐 중요문화재 등재부	위키피디아
산페드로데로다 수도원 성당	Pixel	위키피디아
산후안데라페냐 수도원 성당	Sergio	위키피디아
생길렘르데제르 수도원 성당	Wikinicoj	위키피디아
생넥테르 성당	Torsade de Pointes	위키피디아
생마르탱드롱드르 생마르탱 성당	Fagairolles 34	위키피디아
생사벵 수도원 성당	Remi Jouan	위키피디아
생세르냉 성당	Felipeh(원안 게시자)	위키피디아
생트 생퇴트로프 성당	PMRMaeyaert	위키피디아
샤페즈 생마르탱 성당	Cancre	위키피디아
세낭크 노트르담 수도원 성당	EmDee	위키피디아
캉 생테티엔 수도원 성당	Gpesenti	위키피디아
퀴노 노트르담 성당	Manfred Heyde	위키피디아
투르뉘 생필리베르 수도원	Morburre	위키피디아
퐁트네 수도원 성당	Myrabella	위키피디아
퐁트브로 노트르담 수도원 성당	Aurore Defferriere	위키피디아

로마네스크 성당, 치유의 순례

글 · 사진 김난영

1판 1쇄 인쇄 2016. 11. 30
1판 1쇄 발행 2016. 12. 18

펴낸곳 예 · 지
펴낸이 김종욱
책임편집 황경주

등록번호 제1-2893호
등록일자 2001. 7. 23
주소 경기도 고양시 일산동구 호수로 662
전화 031-900-8061(마케팅), 8060(편집)
팩스 031-900-8062
전자우편 yejibk@gmail.com
트위터 @yejibooks
페이스북 Yeji Buk

표지디자인 마야
편집디자인 신성기획
종이 영은페이퍼
인쇄 제본 서정문화인쇄사

ⓒ KIM, Nanyoung, 2016
Published by Wisdom Publishing, Co.
Printed in Korea.

ISBN 978-89-89797-99-9 03600

예 지 의 책은 오늘보다 나은 내일을 위한 선택입니다.